10代から考える生き方選び

竹信三恵子

岩波ジュニア新書 920

はじめに　8つのコースから人生を考える

一〇代からの人生選び

私たちの社会はいま、大きな曲がり角にいます。でも、人々は意外にそのことを意識していないようです。今日は昨日の続き、お父さんやお母さんと同じような道筋をたどっていれば、なんとかなるはず、と大人も、そして若い人たちも、なんとなくそう考えていませんか。

いや、若い人たちは、そうではないかもしれません。年金なんかもらえるかどうかわからない。大学を出たって安定した仕事につけるかどうかわからない。それなのに、年金には加入しろとか、とにかく大学まで行けとか、大人は勝手なことばかり言っている、と漠然とした疑問を感じている若い世代は少なくないでしょう。

何がどう変わったかわからない。何から手をつけていいかわからない。だから不安でたまらない。これが多くの若い人たちの姿ではないでしょうか。

でも、こちらからそんな風に投げかけると、そのとたんに、えー、不安になるようなことを言わないでよ！　そんなこと聞きたくもない、と耳を塞《ふさ》いで反発する若い人たちにも、私は何人か会ってきました。

　この本は、そうした若い人たちに、大人たちの世代はなぜ、これまで「なんとかなって」きたのか、その前提がいま、どのように変わろうとしているのか、そうした変化に対応するために、若い世代は何をどう選択したらいいのかについて、一緒に考えてみようとしたものです。また、大人たちにも、若い人の環境がどう変わっているか、それをもとにどんな助言をしてあげたらいいかを考える材料にしていただけたらうれしいです。

「曲がり角」ってなんのこと？

　さて、私たちの社会は曲がり角にきていると書きました。曲がり角ってなんのこと？　と思う人も少なくないでしょう。お父さんお母さんの若い頃と同じように、男性が働いて一家を支えるお金を稼ぎ、女性は家事や育児、介護に携わる、という現実は何も変わっていないように見えるからです。

　ただ、統計では、お父さんしか働いていない家庭は減り続け、共働きの家庭がこれを上回っています。足元をよく見ると、みなさんのお母さんたちも、実はパートタイマー（以下、パート)なども含め、結構、外で働いているのではないでしょうか。

背景にはもちろん、高学歴化や自立意識の高まりによって、外で働くことで自分の力を試したい、社会と触れ合っていたい、と考える女性が増えたという変化があります。ただ同時に忘れてはならないのは、男性の雇用が不安定になり、賃金も一九九〇年代半ば以降、ほぼ下がり続けてきたという現実があります。お父さんは懸命に働いていますが、それだけでは生活できる賃金に届かず、お母さんも働くことで家計を支える家庭が増えているのです。

そうした変化は、経済のグローバル化と経済成長が鈍ったことからきています。一九七〇年代の末ごろから、それまで国内を基盤にしていた多くの会社が、海外に出ていくようになりました。海外でも商売しやすい仕組みづくりが進み、インターネットなどの情報技術や交通機関の発達も背中を押したからです。

その結果、会社は海外のもっとも儲《もう》かる地域を探して出ていくことがしやすくなりました。それ自体は、プラスの面があります。ただ、会社はどこへでも出ていけても、働き手は地域に根差していることが多く、そう簡単には出ていけません。会社は賃金が安い地域へ出ていくことで、人件費を節約できるようになりましたが、出ていかれた働き手の側にとっては、仕事が減り、賃金も下がることになりやすいのです。

こうして、商品の重要な買い手である働く人たちの賃金が下がると、モノをつくっても売れゆきはさほど伸びないため儲からず、会社によっては、モノを売るより手元の資金を株などに回して運用することでお金を増やして儲ける方向に向かうようになります。そのために、賃金を節約して手元のお金を増やそうとする動きがさらに強まるという悪循環も起きてきます。これは、かなり危険な兆候です。

社会は、人が働いて、自然資源を加工したり、人々が必要なサービスを提供したりすることで新しい富を生み出すわけです。その担い手である働く人たちにお金を回すより、お金を運用することで利益を上げたいと考える会社が増えると、新しい富は生まれなくなり、社会は停滞するからです。

こうしてモノやサービスが売れにくくなった社会では、小さな会社は社員を雇い続けることが大変になります。その結果、人件費を抑え込むため、低賃金で解雇しやすい非正社員を増やすことが当たり前のようになったのがいまの状況です。加えて、そういう雇い方に抵抗感がなくなり、定年まで雇う約束だった正社員についても、解雇しやすい仕組みに変えて簡単にクビにしようとする動きも目立っています。結婚して、男性は長時間働いて家族全員分の生活費を稼ぎ、女性は家事に専念してこれを支える、といった従来の仕組みが、実態に合わなくなっているのです。

となれば、一人分の賃金の減少をカバーしたり、どちらが解雇されても、片方が生活を支えたりできるよう、共働きしやすい仕組みが必要になります。また、シングルの働き手の不安定化も進みますから、社会がカップルの支え合いに依存するのでなく一人ひとりを支える仕組みや、働き手を守るための新しい仕組みが必要になります。それぞれのライフスタイルについても、「女性だから家にいて家事をしていればいい」「男性なんだから働いて家族を支えなければならない」とばかりは言っていられなくなります。外で働き続ける女性が増えた背景には、こうした経済の変化があるわけです。

とはいえ、男性も女性も一日は二四時間しかありません。ですから、女性がそれまで抱えていた家事や育児・介護、地域活動などを、男性も分担しなければ、女性は外で働けません。にもかかわらず、「男は仕事、女は家庭」と思い込み、それを守ることを主張する人は、年配層を中心に少なからずいます。だから、男性も家事を引き受けられる労働時間の短縮や、育児・介護の支援を社会が支える仕組みはなかなか整いません。そのため、女性が育児や家事を引き受けながらその合間に少しだけ働く仕組みが増え、共働き家庭が数では一人働き家庭を上回っているのに、実感としては「お父さんは大黒柱」「お母さんは家事」という社会が続いているように思えてしまうわけです。

いま、そうした「変わらない仕組み」と、「激変する現実」の間の溝を埋めるため、男性は減った賃金を取り戻して一家を養おうと死ぬほど働き、女性は仕事と家事・育児の二重負担で死ぬほど頑張って、苦労を続けています。私たちが極端な無理をしなくてもそれなりに安心して生きていくためには、このような変化を見据え、実態に見合った人間らしい生き方を再設計していくことが大切なのです。

「世代間断層」という壁

実は、このような曲がり角は、日本だけが迎えているわけではありません。欧米を中心に、こうした激変に対応するため、働く時間を短くしたり、保育サービスを充実させたりといった仕組みの変更が、あれこれに行われてきました。ところが、日本は、さまざまな理由で、こうした変化への対応が遅れました。

一九八〇年代は、欧米で企業のグローバル化による海外脱出が横行し、家族を養う立場だった男性の仕事が激減して苦しむ人々が目立ち始めた時代でした。女性たちは、自ら働くことで、夫の失業や賃金の低下の悪影響を和らげ、また、経済的な自立を目指しました。そうした中で、八〇年代から九〇年代にかけて、男女が共に社会で活躍できる仕組みへの切り替えが進みました。

その流れから取り残されていったのが日本でした。

八〇年代の日本は、バブル景気といって、お金の供給量を増やして土地や株の値段を上げ、その売買を通じて、一瞬、空前の好景気が生まれたかのような状態になりました。その点については、本文でもう少しくわしく説明しますが、その結果、「ほかの先進国が困っている中で、日本だけは繁栄している」「日本はすぐれた国だ」という思い込みが生まれてしまいました。だから「男は仕事、女は家庭」の仕組みなど変えなくても、なんとかやっていける、という気分が日本中にあふれました。その時代の記憶が強い世代には、日本は変わらなくてもいいとか、男は仕事、女は家庭を維持したおかげで経済が強くなった、とか思い込んでいる人がいまなお見られます。

ところが、そのあとに実は、日本も不況に見舞われていきます。空前のバブル景気は数年でしぼみ、一九九〇年代半ば以降には、そのツケから、絶対に大丈夫だろうと思われてきた大手企業までもが次々とつぶれていきました。企業の求めで、人件費を抑えられるよう非正規の働き方を拡大できる法律の改定も行われ、そんな時代以降に社会に出た世代は、学校を卒業しても、非正社員としてしか働き口がないという現実に直面します。「氷河期世代」です。こうして、非正規の働き手は、いまや働く人の五人に二人近くにまで増えてしまいました。

そのような若い世代と、日本は変わる必要がない、男性が家族を養ってさえいればなんとかなる、というバブルまでの世代とでは、社会の見え方が全く違います。

私はこれを「世代間断層」と呼んでいます。世代間ギャップどころではない、飛び越えられない「断層」ができてしまっているということです。

断層の向こう側では、「なんで正社員になれないんだ」「正社員になれないのは怠けているからだ」と、非正規になった若者を責める言葉があふれました。なぜなら、その人たちの時代には、働き手の圧倒的多数は正社員で、学校を出れば、待遇の差はあれ、定年まで勤める正社員になるのが当たり前だったからです。

とりわけバブルの時代に社会に出たいわゆる「バブル世代」となると、いくつもの会社が一人の若者に殺到して奪い合うという体験もしています。そんな世代に、企業が五人に三人しか正社員の枠を用意していない、いまの社会を実感しろと言っても無理があるかもしれません。このような世代が社会の中心だったわけですから、仕組みがなかなか変わらなかったのも無理はないでしょう。

こうした人たちの多くは、子どもは一定の年齢まで育て上げれば自然に正社員になり、安定収入で親の世代を支えてくれると、つい考えてしまいがちです。ところが実際には、企業の正社員の椅子は減る一方です。また、仮に正社員になっても、数が絞られている結果、一人あたりの仕事負担が重くなり、うつ病などになって働けなくなる例も少なくありません。それなら、断層の向こう側の人々はみな、リッチでいい目を見ているのかというと、そうではありません。

そうした子どもたちを、高齢の親が年金などで扶養《ふよう》せざるをえない例も増え、正社員だった人たちの間でもいま、経済的な逼迫《ひっぱく》に苦しむ人々は少なくありません。また、自営業やフリーで働いてきた人たちの中には年金額が低く、老後の生活が成り立たず、「老後破産」という状態に陥る人々が一二〇〇万人はいると言われています。断層の向こう側の人々は、暮らしが必ずしも楽なわけではなく、ただ、時代の変化を理解できないだけなのです。

若い世代は、そうした中で何が変化しているのかについて自ら情報を集め、自分なりの羅針盤をつくり上げて将来を決め、さらに、自分たちが生きやすい仕組みづくりに取り組んでいく力が問われているわけです。

8つのコースで将来を考える

とはいえ、私は予言者ではありません。だから、これから必ずこうなる、などということは言えません。ただ、いま世の中の水面下で起きている、見えにくいけれど重要な変化をみなさんに知ってもらい、その原因をできる限り説明していきたいと思います。さらに、そうした事実から見て、将来の選択の際に、どんなことに気をつければいいのかについてのポイントをこの本で指摘していきたいと思います。

そのために、みなさんが「自分はこんな道を通っていきたい」「通っていくかもしれない」と考えていそうな道筋をコース別に分け、それぞれについて、そのままいくとどんな障害が待ち構えているか、それを乗り越えるために、どう考え、どんなものを利用すればいいのかを一緒に考えてみたいと思います。

こうした障害は「リスク」と呼ばれます。「リスク」とは、ある行動にともなって(あるいは行動しないことによって)、危険にあったり損をしたりする可能性を意味する言葉です。また、反対に、その行動をすることによって得られる利益は「メリット」と呼ばれます。この本では、さまざまな生き方を、そのリスクとメリットの両面から点検し、実際に取材した例をもとに再構成した近未来ストーリーも通じて、リスクを放置した場合とリスクに対応した場合とを対照させながら、みなさんに考えていただきます。

まず1章として、「働き方」から考えていきましょう。資産がさほどない圧倒的多数の人々にとって、日々働いて得る賃金は、人生を支えるための重要な資源です。長時間働いて組織からの評価を追い求めるか、短時間働いて生活を楽しむか、といったライフスタイル一つとっても、みなさんの哲学だけで左右できるものではありません。それは、どのような働き方で生活の糧を得るかに、大きくかかっているからです。みなさんの学校選びも、将来、どのようにして働きたいかによって変わってきます。これらはすでに経験していることでしょう。その意味で、「働き方」は重要です。

その中のコース①では、女性にとってこれまで「最後の避難所」「定番の安全コース」と思われがちだった「専業主婦」として働くことについて考えます。これは、育児・家事労働を担うことで、パートナーの賃金から割り戻しを受ける働き方です。お母さんが専業主婦だった女性たちがそのようなモデルを身近に感じるのは当たり前でしょうし、そうやって自分たちを育ててくれたお母さんを尊敬していれば、なおのこと、その道を選びたいと思っても不思議ではありません。

また、保育園など、男女が共に、対等に働くための仕組みが不足しているいまの社会で、子育てと仕事の両立に苦労してきたお母さんを見てきた女性のみなさんの中には、あんなに苦労するなら専業主婦になった方がいいのでは、と感じる人も少なくないでしょう。ある意味、「困ったら主婦」は女性の命綱と考えられてきたかもしれません。そんな「定番」が、「例外」になりつつあるいま、これを希望する人にどんなリスクが待ち受け、どうすればそのリスクを乗り切れるかを考えてみたいと思います。

コース②では、そんな専業主婦の裏側にある男性たちの「定番」コースを見ていきます。妻に育児・家事労働を提供してもらうことで仕事に打ち込み、代わりに一家を支える生計費を一手に稼ぎ出す「大黒柱」＋「亭主関白」コースです。こうしたコースは、果たしてこれからも可能なのでしょうか。いや、それ以上に、男性のみなさんにとって幸福をもたらすのでしょうか。

コース③からは、仕事を人生の中でどう位置づけるかを考えていきます。まずは、バリバリ働いて仕事で自己実現したい「正社員」として働くコースを目指す人生のリスクとメリットを見ていきます。

続くコース④では、非正社員として生きつつ、その不安定さから身を守る方法や、仕事にすべてを投入するのでなく、仕事以外の人生を楽しむために「ゆるく働く」職業生活のリスクとメリットを考えます。いまや、パートや派遣社員・契約社員といった「非正社員」なら必ず「ゆるキャリ」が得られるわけではなくなっています。そんな中で、自力で「ゆるいけれども食べられる」働き方をなんとか設計しようとする人たちも出てきています。その取り組みについても考えてみましょう。

そのように働き方について検討したうえで、2章では、「生き方」からコース別に考えていきましょう。まずコース⑤では、共働き家庭のリスクとメリットを考えます。

コース⑥では、パートナーなしで子どもを育てるシングルマザーやシングルファーザーなど、ひとり親コースについて検討します。

コース⑦は、シングルで生きる「おひとり様コース」について検討します。

コース⑧では、どんな選択をするにせよ、役に立つ考え方・生き方を紹介します。

そして、最後に「おわりに」では、すべてのコースを通じ私たちが生き延びていくために必要な条件について、まとめていきたいと思います。

コースはみなさんの実践で変わる

ここまで、生き方をどう選ぶか、について書いてきました。でも、もちろん、将来はあらかじめ決まっているわけではありませんし、レストランでメニューから選ぶように、好きなコースを選んで注文できるわけでもありません。生き方を選ぶということは、私たちが何をしたいのかをそのつど考え、その気持ちを抑え込まずに大切にしつつ、それを生かすために、私たちがいま持っている何が使えるのかを考えて対策を立てることです。

そうした取り組みによって、人生のコースは変わっていきます。たとえば、子どもを育てながら働きたいのに保育園が足りなくて働けない人たちが「専業主婦」コースを選んだとします。こうした人たちが、働きに出ないという条件の中で、家事や育児の合間の時間を生かしてネットワークをつくって保育園増設を訴えた結果、保育園が地域に増えたとします。そうなれば、子どもを預かってもらえる枠が大幅に増え、その人たちは両立コース、すなわち、「バリキャリ」か「ゆるキャリ」コースへと転換していくこともできるようになるでしょう。

好きなコースを選んで、それを全《まっと》うするというよりは、自分のなりたいものがはらんでいるリスクを見通すことで、そのコースを避けたり、いったん選んだコースのリスクを克服したりすることで別のコースへと柔軟に転換していける力こそが、いま問われているのではないでしょうか。その意味で本書は、すでにあるコースを、異なるコースに変えていく「人生づくり」のためのものと言えます。

本書から、私たちのいまが、かつてと比べてどのように変化しているかをくみとり、それをもとに、コースを変えたり、新しい人生コースを生み出したりする力にしていただけたら、本当にうれしいです。

さあ、ページを開いて、私たちの前に開けているさまざまな人生コースを、探索していきましょう。

目 次

はじめに　8つのコースから人生を考える

一〇代からの人生選び／「曲がり角」ってなんのこと？／「世代間断層」という壁／8つのコースで将来を考える／コースはみなさんの実践で変わる

1章　働き方から人生を考える

コース① 専業主婦を生き延びる……2

専業主婦を生き延びる／「安全ネット」は男性？／専業主婦が成り立つ条件がなくなりつつある／新・性別役割分業が続く理由／貧困専業主婦とセレブ専業主婦／専業主婦は「ばくち」コース?!／人間関係、資金、そして社会の仕組み／専業

主婦コース　二つの選び方

コース② 「大黒柱」＋「亭主関白」で生き延びる …… 28
「大黒柱」願望の背景／「大黒柱」を揺るがす五つの変化／ぬれ落ち葉と年金離婚／なぜそれでも「大黒柱」なのか／お金持ちはお金持ちと結婚する／「威張りたいわけ」を考えてみよう／「3C」を意識する／大黒柱＋亭主関白コース　二つの選び方

コース③ 「正社員」を生き延びる …… 52
「正社員」になれば勝ちなのか／正社員になるには？／「バリキャリ」と「ゆるキャリ」／きっかけは均等法／代理妻が必要／バリキャリの背後に過労死と少子化／「ゆるバリキャリ」のすすめ／バリキャリ・コース　二つの選び方

コース④ 「非正社員」を生き延びる …… 78
「非正社員」はなぜ敬遠されがちか／就職氷河期の「先人」たち／非正規を守る法律を知っておこう／身近な支援制度を

生かす／大事なのは、三つの「溜め」／嫌な経験も大切に／空気を読まない、「助けて」を言おう／非正社員コース　二つの選び方

2章　ライフスタイルから人生を考える

コース⑤　共働きで生き延びる　106
四つのパターン／女性の収入を上げる／お母さんの家事をみんなで担う

コース⑥　ひとり親で生き延びる　115
だれでも可能性が／経済力と支援があればプラスも／生きづらさをつくる男女分業／行政サービスをフルに利用

コース⑦　シングルで生き延びる　126
ひとり暮らしとひとりぼっちは違う／シングルを基本にした仕組みづくり／多様な働き方　二つのコース

コース⑧ 振り回されずに生き延びる……140
あるがままの自分を受け入れる／仕事に振り回されない／お金に振り回されない／恋愛に振り回されない／人の評価に振り回されない／ディーセント・ワーク　二つの選び方

おわりに 「人生を選べる」自分になるために
「人生を選ぶ」なんてできるの？／「選ぶ」ための情報収集力／実行のための資源を確保する／引き返す力を養う／スルーして違う観点で探す道もある

イラスト＝榎本はいほ

1章

働き方から人生を考える

コース① 専業主婦を生き延びる

専業主婦を生き延びる

人生選びの最初を「専業主婦」コースから始めたのは、「はじめに」でも述べたように、それが若い女性たちにとってなお、最後の避難場所として意識されていることが少なくないからです。若い男性の間にも「専業主夫」になりたい、という声は結構あります。結婚して配偶者《はいぐうしゃ》にお金を稼いでもらい、自分は家庭で家事や育児をもっぱら担当し、合間に好きな趣味や友人との付き合いをして穏やかに暮らしていきたいという人生イメージがそこにはあるようです。このように、希望者は、それなりにいるのですが、実はこのコースはかなり難物です。ここではその理由と、その難物をどう乗りこなすかについて考えていきましょう。

「安全ネット」は男性？

専業主婦コースは、戦後の核家族と高度成長期の女性たちにとって定番とも言えるものでした。多くの女性たちが、将来設計に行き詰まると「主婦にでもなれば、なんとかなる」と思ってきました。また、「女は男次第」という考え方はいまも、日本社会の基本として根強く残っています。

三〇代の友人に「あなたの世代なら女性は男次第なんて死語でしょう」と聞いたら「とんでもない」と言われました。華やかな大手企業に就職し、活躍している女性たちが、普通に「結婚したら辞める」「いざとなったら彼氏に食べさせてもらえる」と言うのだそうです。日本という社会では、社会保障の充実より、「食べさせてくれる男の人」の方が、現実的な女性の安心の装置とされているのか、と暗い気持ちになりました。

私が勤めていた大学の学生からも、「女性も働く時代だから！」と就活《しゅうかつ》に走り回っていた女性の友人が、行き詰まってくると、「結婚して専業主婦にでもなろうかな」と言い始めると、聞いたことがあります。また、婚活《こんかつ》パーティーに参加した女子学生が、「就活と婚活は、女性にとっての二つの命綱。就活で失敗したときのために婚活でもう一本命綱を張っておく」と言っていたという話も聞きました。その話をしてくれた男子学生は、「女はいいよな、結婚すればなんとかなるんだから」とぼやいていました。

少子化によって生産年齢人口(生産活動の中核となる年代の人口)が減り、最近の新卒は多くが正社員になれる、とも言われています。ただ、厚生労働省が毎年発表している「学歴別卒業後三年以内離職率の推移」では、中卒で六割、高卒で四割、大卒で三割程度が退職して、転職しています。理由としては、賃金が不満、仕事のストレスが大きい、将来性に不安、という結果が出ています。

若い人が実態をよく知らずに仕事を決めてしまうという問題もあるかもしれませんが、それ以上に、正社員でも低賃金だったり、仕事内容が過酷《かこく》だったりして、長く働き続けられない職場がかなりあるからです。となれば、女性の専業主婦志向や、「専業主夫になりたい」と考える若い男性の登場も、不思議ではないでしょう。

だからこそ、働き方を考える第一歩として「困ったら主婦(主夫)」という安全ネットがいま、どの程度有効なのかについて、押さえておかねばならない、ということになります。

専業主婦が成り立つ条件がなくなりつつある

「専業主婦」は、男性という安全ネットを手軽に手に入れられそうな道に見えますが、その生き方は、実はリスクと落とし穴がいっぱいです。

戦後の一九六〇年代から七〇年代の高度経済成長期は、男性の勤め人が増えていった時代です。こうした男性たちは、当時はほとんどが正社員で、妻子を扶養《ふよう》できる賃金を受け取ることが暗黙の前提とされていました。そうした男性の賃金を支えに、家事や育児、地域活動など、賃金は出ないが生活に必要な仕事に専念する「専業主婦」も増えていきました。

一九七〇年代くらいまでは米国でも欧州でも、専業主婦は全盛でした。日本は一九四五年に戦争に負け、一時期、米国に占領されましたが、そんな日本の人々にとって、専業主婦は「勝者」米国の豊かさの象徴でした。

米国発のテレビドラマでは、ホワイトカラーのお父さんが郊外の素敵な一戸建て住宅から、

かつては「三食昼寝付き」と言われたこともあったが，今は……

大型の自家用車でオフィス街に出ていき、家ではきれいなお母さん(テレビドラマのお母さんは美しい女優さんが演じており、それが日本の女性たちのあこがれに拍車をかけました)が、フリルのついた白いエプロンなどをつけてケーキやクッキーを焼いたりする、幸せな専業主婦家庭が映し出されます。これがテレビを通じて広く普及していくことになりました。

そんなわけで、一九七〇年代半ばに専業主婦家庭の数はピークを迎え、図1のように、一九八〇年には専業主婦世帯は一一一四万世帯で、共働き世帯六一四万世帯を大きく上回っていました。しかしその後、共働き家庭はさらに増え続け、二〇一九年には、専業主婦世帯五七五万世帯に対し、共働き世帯一二四五万世帯と大差がついています。専業主婦家庭はいまや、社会の少数派なのです。

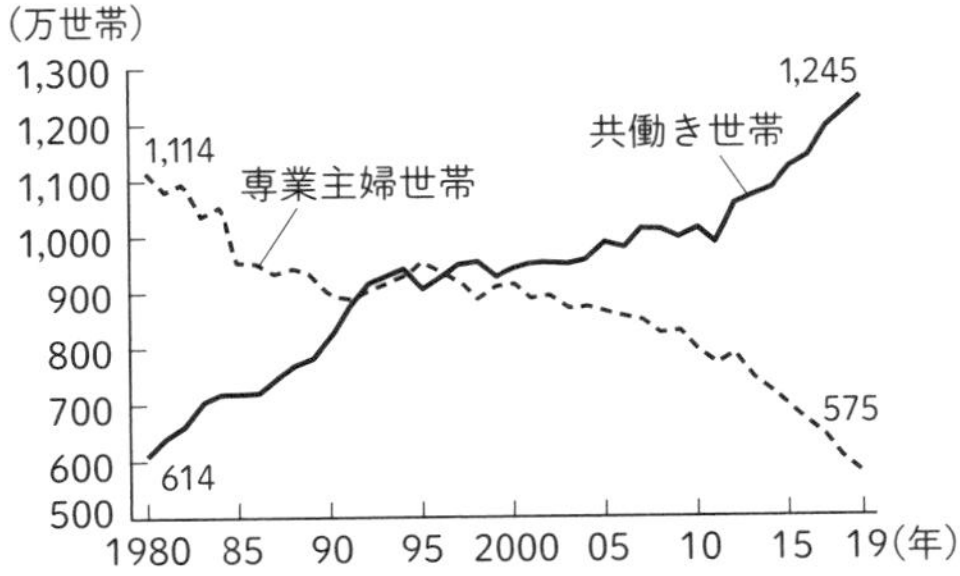

図1　専業主婦世帯と共働き世帯の推移(1980〜2019年)(労働政策研究・研修機構HPをもとに作成．資料出所：内閣府『男女共同参画白書』，総務省「労働力調査特別調査」「労働力調査」など)

それなのに、専業主婦家庭はなお、社会のモデル的な位置を占めています。税金の制度が変わるとき、家庭への負担度を試算する記事が新聞などに出ることがありますが、その場合も「専業主婦で子ども二人」の家庭がしばしばモデルとして登場します。みなさんも、なんとなく専業主婦家庭が標準、と思っていませんか。そうしたイメージが「困ったら専業主婦」という専業主婦命綱論の背景にあるのです。

専業主婦家庭をモデルと考えてしまう原因の一つは、共働きでも、家事や育児は相変わらず妻の役割とされていることがあるでしょう。特にパートのような短時間の働き方だと、女性本人も、本当は「主婦」なんだけど本業の家事の合間に働いて家計の補助になるお金を稼いでいるだけ、と思ってしまいます。パートの賃金は極端に安く、夫の賃金に依存せざるをえないので、「働くのは夫、私は家事」と考えてしまうのです。

ただ、実際には専業主婦が成り立つ条件は失われつつあります。その条件とは、男性が一人で、主婦である妻や子どもたちが生活できる賃金を稼ぎ出せることです。そうした男性は、いまどれくらいいるのでしょうか。

会社員のうち、家族を養えるほどの賃金を稼げる働き方として想定されているのは正社員です。正社員は、毎年給料が上がり、定年までは期限なく働けることが暗黙の約束ごとにな

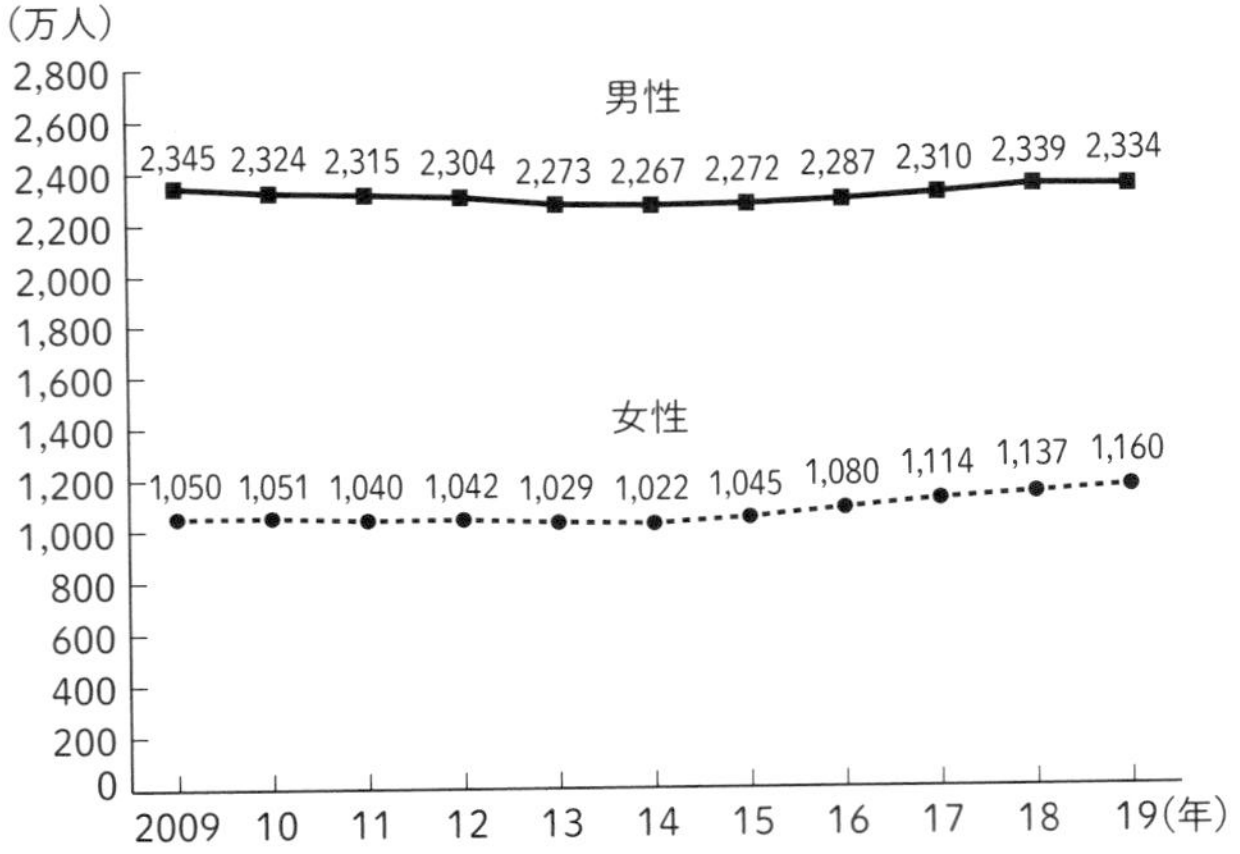

図 2　正規の職員・従業員数の推移（総務省「労働力調査 2019〈速報〉」をもとに作成）

ってきたからです。一方、パートや派遣社員などの非正社員の多くは、一カ月、三カ月、半年、一年と短期で契約が打ち切られ、賃金は、ほとんどが年収二〇〇万円以下という状態に置かれています。

専業主婦家庭が全盛だった一九七〇年代ごろは、男性の九割以上が正社員で、非正社員は、そうした夫が扶養する女性の働き方と考えられていました。だから安くて不安定でもなんとかなる、というわけです。二〇一九年時点でも図2のように、男性の正社員数は二三三四万人（女性一一六〇万人）で、女性の約二倍です。でも、二〇一八年と比べると、女性の正社員比率の増加度は、男性を大きく上回っています。

理由は、仕事の中身が劣悪な「名ばかり正社員」が増え、その部分に、低賃金でも我慢しがちな女性が吸収されているから、という面もあります。ただ、「男性なら安定した正社員」というパターンが崩れていることは間違いありません。一九八〇年代くらいまで、女性の結婚条件は高学歴、高収入、高身長の「3高」と言われてきました。学歴が高いと「いい会社」に入れて定年までの安定雇用と高収入が保障され、さらに身長が高くてかっこよければ言うことなし、ということでしょう。でもいまは、仮に「いい会社」に入っても、会社の合併などでリストラにあったりする「エリート男性」も後を絶たないのです。

賃金で見ても、たとえば二〇一七年時点での残業代や手当を除いた二五～二九歳の男性の月給は、平均二五万円弱(厚生労働省「平成三〇年賃金構造基本統計調査」)です。家賃が七万円とした場合、一八万円くらい残るとして、ここから水道・光熱費などを引き、さらに家族全員分の生活費を出すわけです。食費や衣服費は低賃金の海外諸国からの輸入が増えて安くなりましたが、教育費や、家族のだれかが病気になったときの医療費を考えると、かなり大変でしょう。賃金から税金や年金などのための社会保険料が引かれるので、実際は、もっと苦しいこともありえます。

ですから、一人働き家庭の男性は、長時間労働を引き受けて残業代で辻褄《つじつま》を合わせることになります。ところが最近では、「サービス残業」など、労働時間に見合った残業代が払われない例も激増しています。

そんな中で、妻も働いて二人合わせて四〇〇〜五〇〇万円くらいの世帯年収になると、もう少し家計に余裕が出てきます。これが専業主婦の減っている大きな理由です。

新・性別役割分業が続く理由

このように、男性だけに依存できない現状が進んでいるのに、男女分業意識の変化は行ったり来たりです。

内閣府の「男女共同参画社会に関する世論調査」では、専業主婦家庭が圧倒的多数だった一九七九年、女性の七〇%、男性の七六%が「夫は外で働き、妻は家庭を守るべきである」という考え方に、「賛成」「どちらかといえば賛成」(賛成派)と答えています。

その後、「反対」「どちらかといえば反対」(反対派)が増えていき、二〇〇七年には半数を超えました。ところが、二〇一一年の東日本大震災による社会の先行き不安のためか、翌二〇一二年には再度、賛成派が反対派を上回り、その後、また反転して二〇一九年には賛成派三五・〇%、反対派五九・八%になりました。

このように、意識の変化がジグザクをたどる理由はいろいろですが、基盤になる両立のための仕組みの整備が容易に進んでいないことは、やはり大きいでしょう。その一つが労働時間です。

日本は、会社で働く時間の長さが、先進国でトップクラスと言われてきました。二〇一八年には「働き方改革を推進するための関係法律の整備に関する法律」(以下、働き方改革関連法)で、法律で決まっている一日八時間労働を超えて残業してもいい時間に制限ができましたが、会社と労働組合(以下、労組)が、約束すれば、忙しいときなら月一〇〇時間未満まではOKというゆるい制限にとどまりました。

その時間を超えて働かせる会社もあったことから、「一〇〇時間未満」でも罰則付きの制限ができたことを、プラスと受け止める人もいます。せっかくできた規制を生かすことも、もちろん大切です。ただ、一カ月一〇〇時間前後の残業は、過労死と認定される水準の働かせ方です。つまり、過労死すれすれまではOKとなってしまったとも言えます。

併せて、専門的で高収入の働き手には、原則、労働時間の規制がない「高度プロフェッショナル制度」(以下、高プロ)という制度も導入されました。労働時間の規制がないということは、一日八時間労働の規制も、残業代も、さまざまな休みを取らせる義務も、会社は免除されるということです。

このような労働時間制度の下では、家庭に主婦がいて、子どもの世話やご飯のしたく、地域活動、PTAなどすべてやってくれるような家庭でなければ、とても働き続けることはできません。おまけに、保育園や学童クラブも足りません。

子育てやお年寄りの世話を受け持ってきた主婦が外で働こうとすると、保育園や介護サービスが必要になります。ところが日本は、こうしたことは主婦が家でやるものとみなが思い込んできたので、これらの公共サービスは不十分なままです。おかげで女性たちが働き始めるや、保育園の空きが出るまで待たされる「待機児童」の数が膨れ上がってしまいました。

こうした条件が改善されないため、「男は仕事、女は家庭(＝専業主婦)」という従来の性別役割分業は減ったものの、「男は仕事、女は家庭とパート(＝兼業主婦)」という新・性別役割分業ができてしまいました。それが、いまの日本なのです。

貧困専業主婦とセレブ専業主婦

しかも、女性が専業主婦や兼業主婦を選んで家事・育児の担い手に回ると、家計が助かるという仕組みも根強く残っています。たとえば、配偶者控除《こうじょ》といって、一定以下の賃金で働くパート兼業主婦のいる家庭は、「妻を養っている夫の負担を軽くする」ということで、夫の税金を安くする仕組みがあります。また、老後の年金や健康保険のために払う社会保険料も、収入が一定の額に届かない勤め人の妻は、「第三号被保険者」という分類に仕分けされ、保険料は免除されています。

これらのハードルを超えると夫の負担軽減措置がなくなることから、外で働くことを自粛《じしゅく》する妻は少なくありません。おまけに、日本の社会は、「パートは、時給が安いのが当たり前」という思い込みがしみついていて、法律が保障している最低限の時給水準(最低賃金)ギリギリの賃金がほとんどです。これでは家計の補助にはなっても、一家の柱にはなれず、女性は家事を一手に引き受ける側に回ってしまいがちです。

オランダでは一九九六年に、短時間労働であることを理由に同じ仕事の時給に差をつけてはいけないという「パートの均等待遇」が導入されました。日本でも先に述べた「働き方改革関連法」で、正社員との「同一労働同一賃金」が規定されましたが、パートの低賃金が簡単に是正されるような仕組みではありません(くわしくはコース④の「非正社員」コースを読んでみてください)。

夫が妻を養い続けられる条件が揺らいでいるのに、長時間労働、保育園等の不足、税と社会保険、賃金の仕組みによって妻が十分に働けないという事態は、「貧困専業主婦」を生み出します。これは労働政策研究・研修機構主任研究員、周燕飛さんの著書で広がった言葉ですが、夫の収入が貧困層とされるほど低くても、妻が外で働くための保育サービスが足りなかったり、高すぎたりして子どもを預けられず、専業主婦を続けるしかないケースを指します。二人で働ければなんとかなるのに、それができず、貧困状態から抜け出せないケースです。

少し古いですが、二〇一一年の政府系研究所の調査によると、一八歳未満の子どもがいる専業主婦家庭の八世帯に一世帯が、こうした状況にあるとされています。

もともと専業主婦は、夫が家族を養える賃金が前提でした。その条件がなくなって、専業主婦が当たり前という社会の仕組みだけが残っているために、妻が働くことで家計を向上させることができず、貧困から脱出できない現象が生まれているわけです。専業主婦であるべきだ、それこそが正しい幸福の道だという思い込みや、社会の仕組みが、人々を不幸にしている、ということではないでしょうか。

ただ、みなさんが望む「専業主婦」コースとは、おそらく二重負担の兼業主婦でもなければ貧困専業主婦でもなく、「セレブ専業主婦」ではないかと思われます。夫が高収入で、自分は外で働かず、できれば家事もヘルパーや家事代行業者などに外注して趣味の生活を送る主婦のイメージです。そうした主婦になるために、年収八〇〇万円程度の夫が必要だとしてみましょう。二〇一六年の「第四回子育て世帯全国調査」（労働政策研究・研修機構）では、年収八〇〇万円以上の子育て専業主婦家庭は、専業主婦家庭全体の二四％程度と言われています。

ちなみに、年間給与所得が八〇〇万円を超す男性サラリーマンは一五％程度（国税庁「民間給与実態統計調査二〇一八」）です。もちろん、この一五％の男性を獲得するために「女子力」を磨く、という作戦も考えられます。これは「玉の輿」コースとも呼ばれ、低所得家庭の女性が美貌《びぼう》を武器に富裕層の男性と結婚して専業主婦になるパターンは、小説などの題材にもなってきました。

ただ、アンソニー・ギデンズという英国の社会学者は、最近は高所得の女性と高所得の男性が結婚する傾向が高まり、また、専門職や管理的職業につく男性の妻は、ほかの仕事につく男性の配偶者より高い収入を得ている女性である傾向が強いと指摘しています。

いま、働いて経済力を持つ女性が以前より増え、また、富裕層とそうでない層の格差が広がって、子どもの学校までが親の経済階層によって分かれつつあります。そこでは違う階層との出会いが減り、文化程度や職業体験が似ている方が話が合うこともあって、階層を超えた「玉の輿」コースが通用しにくくなっているのかもしれません。

専業主婦は「ばくち」コース?!

専業主婦であることは、もう一つ重大なリスクを抱えています。離婚や夫の急死です。

専業主婦コースを希望する人の多くは、結婚を一生モノと考えていませんか。日本の離婚率(一〇〇〇人あたりの離婚した人)は、一九六〇年代に比べれば増えていますが、アメリカ(離婚率二・五)、スウェーデン(離婚率二・五)などに比べると、二〇一六年時点で一・七程度で、先進国では低い部類に入ります(総務省「世界の統計二〇一八」)。「結婚」以外の、女性の個人としての生活保障がしっかりしていない状況がさほど変わらないので、つらくても簡単には離婚できないとも言われています。

「離婚できる社会」は、女性の就労機会が多く、経済的自立もしやすい賃金水準で、シングルマザーへの保障もしっかりしていることが多いのですが、日本は何しろいまだに「男の人に食べさせてもらえば?」という人が少なくない国ですから、離婚後の社会的安全ネットが乏しいのです。

ただ、それでも、夫の急死やDV（ドメスティック・バイオレンス＝家庭内の暴力）などによって逃げ出さざるをえない場合、離婚にいたることもあります。

一言でいえば、男性は生ものなのです。生き物は、死んだり腐ったりします。一緒にいると楽しいといった理由でならいいと思いますが、そういう存在に経済力をそっくり預けてしまうのは、やはり考えものでしょう。

つまり専業主婦コースは、配偶者を失うことが、即、生計の道を断たれるという意外と不安定なコースなのです。ただ、死別はさておき、離婚は女性がわがままを抑えれば避けられる、と考える人もいるでしょう。しかし離婚は、本当に「わがまま」なのでしょうか。

二〇一六年の『司法統計年報』から離婚原因を見ると、「性格が合わない」は夫、妻共に一位です。一緒に暮らしてみると、価値観が全く違ったり、自分には納得のいかない選択であったり、ということは少なくないということですね。妻からの申し立ての二位は暴力、つまりDVですが、これは生命の危険にかかわるものです。そうした生活に耐えて、生活保障のために我慢することが、人間として幸せでしょうか。

二〇一七年度の内閣府の調査では女性の三人に一人、男性の五人に一人がDVを体験しています。また、二〇一三年の『男女共同参画白書』では、DVから逃れて生活するうえでの困難として、「当面の生活をするために必要なお金がない」が五四・九％とトップに挙がっています。

DVは共働きカップルでもしばしば起きていますが、専業主婦コースは、こうした暴力から逃れようとするとき、生活費の不安が一緒に襲ってくるという意味で、とりわけ厳しい事態になりがちです。以前取材で出会った幼稚園の先生だったという女性は、イケメンで頼もしいと思ったスポーツインストラクターと結婚し、夫の希望にそって専業主婦になりました。結婚前に女性が貯めた貯蓄をつぎ込んで建てたマイホームは夫の名義にされ、失業した夫によるDVが始まりました。命の危険を感じて逃げ出し、ようやく地方都市で工場の低賃金のパートの仕事を見つけて生き延びたそうです。

「女は結婚すればなんとかなると言われたが、結婚によってかえって貧困に陥ることもある。これを若い女性たちに知ってほしい」とその女性は私に言いました。

こうして見てくると、男性の「扶養力」が落ちている中で、自らの経済力を捨てる専業主婦コースは、「ばくち」と言ってもおかしくないかもしれません。もちろん、「ばくち」でスリルを味わいたいという人には向いているとも言えます。

夫の経済力がなくても、自分の資産で食べていける女性なら、専業主婦で大丈夫という意見もあります。二〇年ほど前、「セレブ専業主婦」と言われる女性に「専業主婦で不安はありませんか」と聞いたら、ふっと笑われ、「親からの資産がありますから。資産もないのに専業主婦になる人がいるの？」と言われました。ただ、そうした人でも、リーマンショックなどの経済の大変動が繰り返されるいま、資産価値の大下落などに見舞われかねません。

だとしたら、いったいどうすればいいの、と専業主婦コースを希望するみなさんは、がっかりしていませんか。でも、専業主婦になりたいと願うのは、専業主婦が本当に好きだからなのでしょうか。

ある女性一般職から、「会社より専業主婦の方がまし。会社では複数の男性にお茶出しをしなければならないけれど、家庭では夫一人にお茶を出すだけだから」と言われました。仕事が男性並みに過酷になる一方、「女性の男性への奉仕」は根強く残っている日本の職場ですり減らされて生きるのではなく、家事や育児など「生を支える労働」を大切にして人間らしく生きたい――。それが、本当の願いなのではないでしょうか。

人間関係、資金、そして社会の仕組み

大切なのは、そうした願いを、形を変えて実現する方法を編み出すことです。

専業主婦は、職場からの避難所としてあこがれの対象になりがちですが、同時に、家庭内の仕事であるため「いざ！」というときに支えてくれる家庭外の人間関係がつくりにくい面があります。加えて、無償の労働に携わるため、夫という「財布」がなくなると資金が枯渇する危うさを抱えています。それでも専業主婦に期待をつなぐ女性が絶えないのは、職場に、セクシャル・ハラスメント（以下、セクハラ）や、妊産婦へのいじめであるマタニティ・ハラスメント（以下、マタハラ）など女性固有の働きにくさがあるからです。

ですから、専業主婦を目指すなら、①地域の活動や勉強会などへの参加を絶やさず、家庭外の人脈を広げること、②専業主婦になる前や、なってからの体験や資格を生かして自分の経済力と人脈を意識的に築いていくこと、③家庭内にいても、働きにくい職場の仕組みを改善する活動にも関心を持ち、いざ外へ働きに出るときに困らないようにしておくことです。

以下からは、この三点をめぐり、専業主婦志向の夢子が人生をどう選び、それによって近未来がどう変わるのかを見ていきましょう。それは、専業主夫を目指すみなさんのヒントにもなるはずです。

専業主婦コース　二つの選び方

〈ケース① 二〇××年 夢子Iの場合〉

夢子は子どもの頃から、専業主婦になりたかった。一九五〇年代生まれの夢子の祖母は、短大卒業後二〇歳で大手企業のサラリーマンの祖父と結婚し、専業主婦になった。高度成長期の余波で祖父の賃金は上がり、住宅ローンを組んで郊外のニュータウンに一戸建てを買った。一九七〇年代に母が生まれたが、祖母は一九八〇年代半ばから一九九〇年代前半までの「バブル時代」に三、四十代をすごし、家事や育児の合間にテニスクラブや地域活動を楽しんでいた。

そんな祖母を見て育った母は、生活力のある男性を探せば安定した生活を送れると考え、結婚が遅くなる四年制の大学は避け、短大を選んだ。「3高」の男性がたくさんいそうな大手企業の一般職として就職し、念願通り総合職の男性と結婚した。祖父母にならって住宅ローンを組みマンションを買ったが、夢子が生まれた一九九七年、バブルの崩壊で大手企業が相次いで破綻《はたん》・倒産し、リストラの嵐の中で父も、賃下げでローンを返せなくなった。

母が働こうにも専業主婦の経歴は、再就職では評価されなかった。一九八五年の雇用の分野における男女の均等な機会及び待遇の確保等に関する法律(男女雇用機会均等法、以下、均等法)で、女性社員にも総合職の道は開かれていたが、その枠は狭く、四大卒以外は対象にならなかった。均等法が生まれた年に労働者派遣法(以下、派遣法)が成立し、女性正社員の仕事だった事務職は、派遣社員に置き換えられていた。

母は、派遣会社に登録し、派遣社員として大手企業で働き始め、ローンを返し続けた。だが、夢子が一〇歳の二〇〇八年、今度はリーマンショックという不況がやってきて、派遣社員が大量に契約を打ち切られる「派遣切り」にあった。一時持ち直した父の賃金も半減し、管理職も降格になった。ローンがついに返せなくなり、マンションを売って、家族は賃貸住宅に移った。

「不況でも賃金が下がらない夫を探すべきだった」とため息をつく母を見て、夢子は、「私は祖母のような本物の専業主婦になろう」と決意した。そして、男性から気に入られそうな「お嬢様学校」と言われていた私立女子校に進学した。

年功賃金の時代は去り、父の賃金は祖父のようには上がらなかった。やがて、ITについていけないとして降格された。父の同僚には、過労死も続出していた。そんな父を見ていると、「女性も活躍する時代!」とテレビがいくらはやしても、会社では働きたくなかった。ただ、高校の先輩に、最近の企業勤めの人たちの合コンは正社員同士が多い、と聞き、「将来性のある正社員総合職の男性」をつかむために正社員になった方がいいと思った。

進学するには、父の賃金だけでは足りず、現役時代に貯蓄に励んで年金もある祖父母から援助を受けた。そして四年制大学の一つに入学した。入学当初から就活と婚活に励んだ。就活が万一だめなときの保険として婚活パーティーで、いい候補者を見つけておこうと考えたからだ。

その頃は、「女性の活躍」を政府が奨励する中で、企業の中にも女性の採用枠を増やすところが出てきていた。若い世代の人口減少も手伝って、夢子は正社員となり、婚活パーティーで知り合った有名大学出身の大手企業の正社員と結婚、専業主婦になった。

それから一〇年。子どもも生まれたが、夫は何時間働いてもさほど収入は増えなかった。夢子が大学生だった二〇一八年に、高プロが国会を通ったが、その条件が緩められて対象になる社員が増え、何時間働いても残業代が出ない仕組みに会社は変わっていたからだ。

夫は、大量の仕事を与えられ、残業代なしで長時間働き続けた。子育てを支えるどころか、「一流大学を出て一流企業に勤めた俺が、なぜこんな低い収入なんだ！」「お前は俺を食い物にして家でのうのうとしている！」と暴力を振るい始めた。専業主婦仲間の友人に愚痴ると、「私は親にもらったマンションがあるから、離婚しても家賃でやっていけるし、株もある。資産もないのに専業主婦？」と驚かれた。

だが、その友人も、国際的金融危機が起きたとき、親からもらった株の価格が大幅に下落した。景気が悪くなってマンションも借り手が家賃を払えなくなり、空き部屋になった。「これでは夫に頼るしかないかも」と浮かない顔だ。

「夫が定年になれば、年金や退職金が主婦の貢献分として半分請求できる仕組みがある。それまで待って離婚しよう」と夢子は決意した。だがその翌日、夫はリストラされた。それまでの仕事がＡＩ（人工知能）に代替され、「人件費削減のためにはしかたない」と上司は夫に説明した。

〈ケース②　二〇××年　夢子Ⅱの場合〉

夢子は月、火、水の週三日の仕事を終えて、毎週木曜から日曜までの四日連続の週末休暇に入った。さて、布団を干して、じっくり煮込んだシチューをつくろう。金、土、日には夫も週末の休みに入るから、土日は一緒に大掃除をして、家族みんなで近所の公園に遠足に行こう。近くに住むおばあちゃんのうちに、花を持ってお世話にも行かなくちゃ。働きながら家事がゆっくりできる生活って、なんていいんだろう。そんなこと、私が高校生の頃に想像できただろうか……。

夢子は子どもの頃から、専業主婦になりたかった。ただ、高校生の頃、祖母と母が同じ「専業主婦」でありながら、中身はかなり違っていることに気づいた。さまざまなデータを調べ、原因は、祖父と父の違いにあることを知った。同じ「正社員サラリーマン」でも父の世代はずっと解雇されやすくなり、賃金も低下していたのだ。

もう、夫の経済力だけに頼って生きていくことは危険になり始めている、それがわかっているのに、なぜ自分は専業主婦になりたいんだろうと、夢子は自問してみた。考えた末、女性が外で働くと、家事と育児の二重負担を背負わされること、職場でのセクハラなどへの不安、が気になっていたのだと気づいた。

父の収入の低下で、専業主婦の座をつかんだはずの母は、パートや派遣社員として働き始め、仕事と家事・育児の狭間で苦労した挙句、簡単にクビを切られた。自分が「専業主婦」を選びたかったのは、そんな二重負担と、会社に使い捨てられる人生が嫌だったからなのだ、だったら、その仕組みを変えることしかないのかもしれない……。

高校生だった二〇一八年、高プロ制度を盛り込んだ労働法の改定案が国会を通った。一定の条件の社員は一日八時間まで、などの労働時間規制が外され、その後、対象者の条件は広げられていった。家事・育児と正社員の両立が一段と難しくなっていた。あせった夢子は、この法律の撤廃を目指す女子高校生のネットワークを立ち上げた。長時間労働のため働き続けることをあきらめた、母や祖母の世代の女性たちも同調して全国的な運動が盛り上がり、併せてセクハラ禁止法もできた。過労死の増加を恐れる男性たちも呼応して、「高プロ」は撤廃された。

それまでの日本では、家事や育児は「価値を生まない仕事」とみなされ、正社員は、そうした時間を考えずに四六時中働くのが当たり前とされてきた。だが、「高プロ」への反対運動を機に、家事・育児を含め生活する時間を大切にしようという意識が社会に高まり、夢子が大学を卒業して会社に入ったときは、一日の残業時間は最大でも二時間、翌日の仕事までは一四時間の働いてはいけない空白時間をあける「勤務間インターバル規制」という制度がすべての会社に義務づけられた。労働時間が短くても仕事が同じなら時給など待遇は同じ、というオランダ流の「パートの均等待遇」も導入された。

いま、パートの均等待遇を生かし、夢子が三日働き、夫が四日働いて、家計収入は七日分となった。労働時間は減ったのに、夫が五日めいっぱい働くより、収入は二日分増えた。労働時間が減ったため受け皿の保育園も少なくてすむようになった。保育園を増やす要求が実ったこともあって、子育ては楽になった。

夫は、ＡＩの導入でそれまでの仕事がなくなったが、新しい部署に異動することになり、意欲満々だ。次の部署のために資格の勉強もしようと、来年は夫が週三日勤務に切り替え、夢子が週四日働く予定だ。

家庭での労働を男女が分かち合い始めたことで、男性が家事や育児や地域ですごす時間を求めるようになり、職場で都合し合って長期休暇をとろうという機運も盛り上がった。

「今年の夏は一カ月の休暇がとれる順番だから、その期間、専業主婦ができる。来年はあなたに長期休暇の番が来るから、専業主夫ができる。私たちの祖父母の時代は、結婚まで働いたら辞める「腰掛けＯＬ」なんて言葉があったらしいけど、私たちは「腰掛け専業主婦（夫）」だね」

と、夢子は夫と微笑み合った。

そこへ、友人の夢代からメールが入った。夢代は専業主婦だったが、夫のＤＶで離婚した。結婚前に会社で身に着けたスキルを生かして夢子ら友人たちの支援で起業し、自活を始めていた。夢代のメールは、「夫や家庭が女性の避難所になるとは限らないのよね。家庭を超えた女性の安全ネットをつくらないと」という言葉で結ばれていた。

コース②「大黒柱」＋「亭主関白」で生き延びる

◉「大黒柱」願望の背景

コース①では、専業主婦で生き延びる方法について考えました。こうした女性の選択の裏側に張り付いているのが、男性は「一家の大黒柱」として、独力で女性や子どもを扶養し、その意向の下で家族をとりまとめていく生き方です。

「大黒柱」とは、日本の伝統的家屋の中央に立てる太くて頑丈な柱のことです。それになぞらえて、家族分の賃金を独力で稼ぎ出す働き手を「一家の大黒柱」と言います。これは、みなさんのおじいさんやお父さんの時代には、フツーと思われていました。

このような「大黒柱」と併せて、男性のあこがれのように語られてきた言葉が、「亭主関白」です。「テイヌシセキシロ」ではありません。「テイシュカンパク」と読みます。関白というのは平安時代に始まった、天皇を補佐して政治を行う役職です。朝廷では天皇に次ぐ地位で事実上の最高権力者ですが、そこから、家庭の中で亭主(＝夫)が最高権力を持ち、威張っている状態を指すようになりました。

シンガーソングライターのさだまさしさんが一九七九年に発表した「関白宣言」の歌詞は、

そのイメージを端的に示しています。そこでは、夫である自分より先に寝るな、後に起きるな、ご飯はおいしくつくれ、いつもきれいにしていろ、黙ってついてこい、などと、やや手前勝手に見える命令が並んでいます。

　ここまで極端でないとしても、「大黒柱」を男性のあるべき姿と漠然と考える傾向は、若い男性の間でもなくなったわけではありません。大学で、働き方について学生たちに感想や疑問を書いてもらうと、いままでも「働いて女性を養ってこそ男。そうやって育ててくれた父に感謝」といった男子学生からのコメントを見かけることがあります。

「男なんだから」はもう古い?!

　コース①で述べた若い女性の「専業主婦願望」が、パートで働きながら家事・育児をめいっぱいこなす母のしんどさを見て育った娘たちのものとするなら、「大黒柱」＋「亭主関白」願望は、母がパートで働いても家族を支える収入を得られず、夜遅くまで働く父の稼ぎに支えられてきた息子たちのもの、と言えるかもしれません。

そうした「当たり前」は、日本の労働時間のあり方にも表れています。コース①でも触れましたが、二〇一八年に成立した「働き方改革関連法」は、長時間労働をなくすとしつつ、最大で月一〇〇時間未満、年七二〇時間までは残業させてもいいと労働基準法(以下、労基法)に明記し、さらに、一定の働き手について一日八時間労働や休憩時間を取らせる義務を免除する「高プロ制度」も導入されました。

でも、人間が生きていくには、眠って体を休め、家庭生活や子育て、介護、地域の人との付き合いが不可欠です。一日の働く時間が、基本的な国際的労働ルールであるＩＬＯ第１号条約や、日本の労基法で八時間までとされているのは、残った時間を睡眠時間や生活時間として確保することで人間らしい生活を保障するためなのです。

日本は、残業規制がゆるいため、この第１号条約さえ批准できていません。つまり、妻が家庭にいて家事・育児を引き受けてくれることを暗黙の前提とした長時間労働が、横行し続けてきた社会なのです。

そんな働かせ方の中で、長時間労働が可能な働き手を求め、男性を優先して採用する慣行も、根強く残っています。二〇一八年には、いくつもの医大や医学部で、「出産や育児で休まず、長時間労働ができる」などという理由から、得点調整などをしてまで男性を優先的に合格させていたことが明るみに出ました。

労基法では男女同一賃金の原則が定められているのに、長時間労働と男性優先の職場のシステムが変わらないため、女性の賃金は正社員でも男性の七割にとどまっています。

低賃金の女性客を惹きつけようと、飲食店では価格が割安の「レディースメニュー」が用意され、痴漢などの性暴力にあう度合いが多い女性に配慮して、女性専用車両が設けられたりする社会だということを、若い人にわかっていただきたいと思います。

これでは「男は一家の大黒柱」がフツーとされ、「女性を扶養する見返りに亭主関白くらい認めろ」と、考えてしまう若い男性がなかなかいなくならないのも、不思議ではないかもしれません。

「大黒柱」を揺るがす五つの変化

でも、ちょっと待ってください。そうした「大黒柱」コースを成り立たせる条件はいま、コース①で触れたように、底流で大きく揺らいでいるのです。具体的には、①経済の成熟化による成長の鈍化、②グローバル化などによる各国の男性雇用の不安定化、③日本の企業の変質、④少子高齢化による働ける年代の人口減少、⑤サービス産業化による多様な発想をする働き手の職場参加の必要性、といった変化の中で、働く女性が求められるとともに、男性の大黒柱一本だけで家計や社会を支えられなくなっているからです。

社員が頑張って企業の利益が上がれば賃金も増える、というかつての「常識」が次第に成り立たなくなり、人件費を抑えるため、非正社員や「名ばかり正社員」が増やされたり、リストラが横行したりしています。こうした男性雇用の不安定化に加え、一九七五年の国際婦人年以降、世界中で女性の人権意識・自立意識が高まり、男性の経済力に依存せず、女性も働いて経済力をつけようとする動きも強まっています。

ところが日本では、男性の大黒柱労働を基本としてきたために、女性が定年まで、または子どもを産んでも働ける仕組みは、なかなか進みません。とはいえ、女性も働かなければ生活できない家庭が増えていますので、子どもを産まない選択をしたり、妊娠・出産を先延ばししたりするカップルが増えています。それが少子化の一因になりました。その結果、働ける年代の人口が減って女性が外で働く必要性が高まり、それがまたしても少子化に拍車をかける、という悪循環が起きているのが、いまの私たちの社会です。

大学で学生たちに、若い女性の専業主婦願望について討論してもらったとき、男子学生の一人から「それは、女から男へのテロです」という声が上がりました。「男性でも非正規になったり、正社員でも低賃金だったりする時代に、男性のだれもが女性を扶養できる状況ではなくなっている。それなのに、男でしょ、専業主婦一人くらい養えないの」と女性に威嚇《いかく》されているようで恐ろしい、というのです。

これは、前述の五つの変化の①や②を敏感に感じ取った男性からの意見です。コース①では、こうした変化によって、専業主婦コースの前提である「大黒柱」男性が減っていると述べました。ただ、それだけでなく、女性が家庭外の労働力として求められ始めたことで、「大黒柱」男性の長時間労働を成り立たせていた家事専業女性の供給も縮小しているのです。

ぬれ落ち葉と年金離婚

このような「大黒柱」が成り立つ条件の変化に加え、高齢化の中で、夫婦の老後の時間が延びるという変化も、「大黒柱」コースのリスクとなっています。

高齢社会は、夫の定年後、夫婦で向き合って過ごさなければならない時間が長くなる社会でもあります。家事のできない夫が四六時中家庭にいるようになり、妻がストレスを募らせるという問題は、一九九〇年代から指摘されていました。妻が地域活動や女性同士の交流に出かけていこうとすると、会社に浸りきって地域とのつながりがなくなった定年後の夫が「俺も一緒に行く」とついてこようとする状態は、「ぬれ落ち葉」とも呼ばれました。その様子が、払っても、払っても、べったりとくっついてくるぬれ落ち葉のようだというのです。

そもそもいまは、年金財政が乏しくなって年金支給の始まる年齢がどんどん繰り上がっています。そんな中で、「定年」どころか、死ぬまで夫婦で働くよう政府から求められる時代に入り、高齢夫婦が再雇用など、非正規労働で共働きするケースも増えています。かつてのような、暇を持て余した夫や、ある意味、優雅な老後の生活を送れる高齢夫婦はこれから減っていくでしょう。

いずれの場合も、男性の経済力の一強状態を前提に威張っていられる状況ではないのは同じです。非正規同士の共働きになっているのに、「大黒柱」型で生きてきた男性は対等な関係で妻と向き合うノウハウがなく、苦労することになるわけです。

妻も、それを見越しています。若いときは専業主婦にあこがれたとしても、会社に浸りきってきた夫とは子育ても共有できません。そのずれが離婚願望へと変化する場合も出てきます。それでも日本社会では妻の経済的な自立がまだ難しく、離婚を思いとどまらざるをえない妻が少なくありません。そうした妻が、夫の定年を機に、離婚して、妻の貢献分として退職金や年金を半分ほしいと求めることになります。「熟年離婚」の増加です。

大手企業に勤めていた知人の男性は、定年の数年前に、専業主婦の妻から弁護士を介して離婚を求められました。子どもの養育費も兼ねて、年金を折半《せっぱん》で渡すことになり、財産分与のために住んでいた持ち家も売却し、この男性は手狭なアパートで、半分になった年金から家賃を払い、アルバイトで生計を立てています。

専業主婦だった知人の女性は、夫が仕事を理由に家庭を顧みないことに業を煮やし、三〇代で離婚を決意しました。離婚に備え、一〇年かけて夫の賃金から少しずつ自分名義の貯蓄をつくり、周到に準備を整えたうえで離婚に踏み切ったと言います。「家族を養う」ことですべての責務を果たしていると考えがちな「大黒柱」の男性は、そうした家族との心の隙間に気づきにくいことも、大きなリスクです。

なぜそれでも「大黒柱」なのか

このように、そもそもの基盤が危うくなっている「大黒柱」ですが、それでもこれを選びたい人は、一体、どうしたらいいのでしょうか。

二〇一九年度の内閣府の「男女共同参画社会に関する世論調査」では、「夫は外で働き、妻は家庭を守るべき」という考え方に反対の男性は、七〇歳以上を除くと、いまや多数派です。ただ、賛成派もたとえば一八〜二九歳の男性で三三％と、それなりにはいます。

一方、「専業主婦の妻を希望する」夫はあまり多くないという別の調査結果があります。図3は二〇一三年版『男女共同参画白書』にあるグラフです。この調査は、厚生労働省が何年かおきに、一八歳から三四歳の男女の独身者に聞いたものですが、男性が女性に期待するライフコースでは、「専業主婦」は一九九七年の二〇・七％から二〇一〇年の一〇・九％にほぼ半減しています。代わって、両立希望がかなり増えていることがわかります。

調査の方法も時期も違うので、簡単に比較はできませんが、「男は仕事、女は家庭」は支持しても、専業主婦を期待する男性はさほど多くないわけで、意味わかんない、という女性もいるかもしれません。つまりは、「大黒柱」として威張り続けたいが、専業主婦を養う経済力には自信が持てないので女性も働いてほしいという男性が、それなりにいる、ということでしょうか。

その妥協点が、再就職コースかもしれません。図3からは、やや減少傾向とはいえ、再就職コースが男性の希望でもっとも高い比率になっています。育児が大変なときは女性が仕事をやめて育児を一手に引き受け、それが一段落したらまた働いて、今度は経済的にサポートしてくれる女性を望む、ということになります。ムシがよすぎると思う人もいるかもしれませんが、まあ、人間とはそのようなものとも言えます。

三〇代の知人の男性は、そんな男性の願望を端的に叶えてくれる理想の妻は「音大出の妻」と言っています。音楽大学はお金がかかるので、そんな女性の実家はお金持ちに違いない、というのです。実家がお金持ちということは、生活に困ったら実家が助けてくれる可能性が高いはず。しかも、そうした女性は、自分が失業したら、音楽の技能を生かしてピアノ教室などを開いたりして収入を得ることもできるから、万一、自分がリストラされたりしても安心、というわけです。

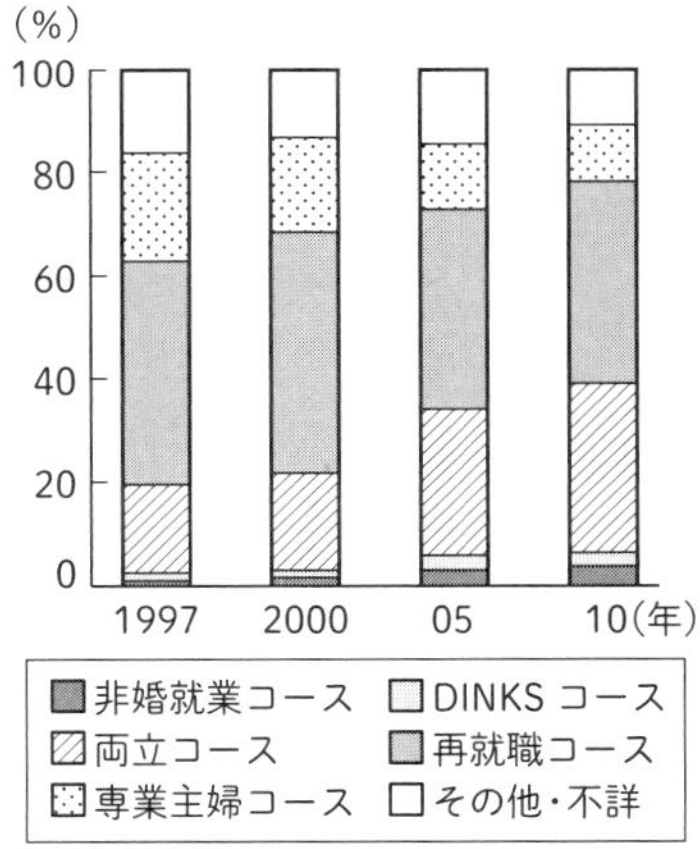

図 3 男性が女性に期待するライフコース（男女共同参画局 HP『男女共同参画白書 2013 年版』をもとに作成）

「働いて稼ぎのある奥さんではだめな

の？」と聞くと、彼はこう答えました。

「だって、稼ぎがある妻だと頭が上がらないじゃないですか。妻の稼ぎを支えるために、家事や育児を自分がやらなければならなくなるかもしれないし。その点、自分に収入があるときは家庭にいて家事や育児を全部やって自分を立ててくれ、生活費の足りない分は、実家が調達してくれる。しかも、いざ仕事をやめたくなったり、クビになったりしたら、すぐに働けるスキルがあって生活を支えてくれる」

うーん、こういう男性とはあまり結婚したくないかな、という気もしますが、余計な感想はさておき、いまどきの「大黒柱」コースは、こうした選択にならざるをえないのかもしれません。

お金持ちはお金持ちと結婚する

ただ、このような解決策は、現実には必ずしもうまくいきません。こういう生活を実現したのが、劇作家の木下順二という人が書いた「夕鶴」というお芝居に出てくる「与《よ》ひょう」という男性です。与ひょうに助けてもらった鶴が、恩返しのために「つう」という名の美女に化けて妻になり、機《はた》を織って美しい布をつくり、与ひょうはこれを売ってお金持ちになります。つうは決して威張らず、家事万端をしっかりこなし、しかも家計を支えてくれるわけです。しかし与ひょうは、「機を織っているところを見てはいけない」と言われていたのに好奇心からのぞいてしまい、つうに去られてしまいます。

つうが一方的に尽くしたのは、与ひょうに大きな借りがあったからです。

たとえば、路上で悪い男性にからまれていたところを助けてくれたとか、家事や育児はすべて妻任せでも、それをねぎらう夫の表現力がすぐれているため、言葉だけで報われる気持ちがしてしまうとか。そういう特技のある男性なら、「大黒柱」を維持しつつ、妻をつなぎとめることはできるかもしれません。

ただコース①でも述べたように、お金持ちの家は、一般に、お金があることこそ人間の長所、と考えがちです。ですから、お金持ち同士の結婚が多く、娘が実家に無心するような生活費しか稼がない夫を支援してくれるかどうかわかりません。また、そのような価値観の実家は、失業したとたん、娘に働かせようとする夫に、あまり好感をもたないでしょう。

それ以上に、それまで働いていなかった妻に、経済状況が悪化したからといって突然、働いてほしいと言っても、そう簡単にはやってくれません。ある男性は、大手企業に勤めて、かなりの高賃金をもらっていましたが、五〇代で会社の人事に不満が募り、辞めたいと思うようになりました。そこで、転職すると収入が減るので、妻にも少しでも稼いでもらおうと相談しました。すると、「あなたはずっと私に働くなと言ってきた。いまさら何を言うの。あれほど大きな口をたたいたのだから、ちゃんと働いて私を養ってよ」と切り返されました。彼は若い頃から「自分の給料で十分なはず。外で働くな」と言ってきたのでした。

若いときから関白顔をしていると、いざというときに、妻から経済的なサポートを受けるのは大変です。経済面のことは自分が引き受ける代わりに「立てて」ほしい、という交換条件で成り立っているので、自分の都合で「専業主婦はちょっと困る」というのでは、相手からワガママと思われてもしかたありません。

「威張りたいわけ」を考えてみよう

しかし、そもそもなぜ、このような社会の変化に抵抗してまで、「亭主関白」になりたがる男性がいるのでしょうか。昭和生まれの親世代から受け継がれた合理性のない固執、なのでしょうか。だとすると、これは「昭和の呪い」(エッセイストの小島慶子さんの言葉)なのかもしれません。

ある男性からは、「いくら合理的な理由を挙げても変えられませんよ。男はとにかく威張りたいのですから」とも言われたことがあります。うーん、とにかく威張りたいんですか……。

確かに、「男はなぜ威張りたがるのか」をキーワードにネットを検索すると、「職場で威張る男性社員。一体何故⁇」「オジさんは、なぜ威張る？」「偉そうにする彼氏の心理６つ」など、出るわ、出るわ。いかに多くの人が「男性の威張り」に直面しているかがわかります。

これらの分析に共通しているのは、男性は一般に、他人から承認され、尊敬されたいという気持ちが強いこと。これは「社会的承認欲求」と呼ばれているもので、つまりは「世間が望ましいと考えている人間」になりたいとの欲求が背景にある、ということです。

社会的承認欲求が満たされていない不満があると、女性に威張り散らすことで「世間並の男」としての承認を実感しようとする、という自信のない男性の行為が「威張る」につながる、というわけです。こうした社会的承認欲求の強い人間には、①他人に服従しやすく、同調しやすい、②説得されやすい、③防衛的である、④自己評価が低い、といった特徴があるという見方もほぼ共通しています。

これらの見解が妥当かどうかについては、いろいろご意見はあるでしょう。でも、客観的にはリスクが高いはずの「大黒柱」＋「亭主関白」に、それでもこだわってしまうという人は、そんな自分の心の動きについて、ちょっと振り返ってみることも必要ではないでしょうか。そして、先の四つの特徴に思いあたる節があれば、それを手がかりに改善していってみてはどうでしょう。

たとえば、①の「他人に服従しやすく、同調しやすい自分」が、もし心の中にあるとするならば、つい付和雷同《ふわらいどう》しそうになったとき、それが本当に自分がしたいことなのかを胸に手をあてて考えてみることとです。その場合、服従させようとする相手とけんかする必要はありません。「あ、私、別にいいですから」と、その場を離れればいいだけです。

この「あ、私、別にいいですから」という言葉は、人が幸せになるために意外と便利です。自分は楽しくない、とか、それは自分の信条にちょっと合わないな、と思ったときに、あっさり身を引くことができると、自分の好きなことに使える時間が増えますし、そう言えた自分が好きになれます。張り合ったり、むやみに欲張ったりしなくていいのです。

②の「説得されやすい」という点については、「論理力」をつけましょう。論理力は理屈っぽいのとは違います。主張には必ず、なぜそう考えるのかという理由がつきものですが、なぜそう考えるのか、落ち着いて聞いてみることが大切です。「亭主関白がなぜ悪いんだ。だって、男ってそういうもんだろ」とだれかに言われたとき、「そういうもん」ってどうい

うもん？ と自問自答できれば、もうあなたは説得されやすい人ではなく、自分で判断ができる人です。

③の「防衛的である」ことと、④の「自己評価が低い」ことは表裏の関係にあります。自分に自信が持てないと、人は普通、それを隠そうと防衛的になります。特に男性は「有能であれ」「社会的に活躍せよ」と言われがちで、自分の無能さや、自信のなさを必死で隠さなくてはいけないと身がまえてしまうことが多いようです。そのような自分の弱さをまるごと認め、むしろ、それを謙虚に生かしていける真の自信を身に着けると、楽に生きられるようになります。「大黒柱」「亭主関白」の生き方を望むのは、そのような自分を振り返ることを避け、「だって、男ってそういうもんだろ」と、社会の変化から目をそむける道へと突き進んでいるのかもしれないと、自問してみることも大切かもしれません。

「3C」を意識する

さて、「大黒柱」や「亭主関白」の生き方をそれでも希望するなら、「3C」を身に着けることを意識してみてはどうでしょうか。これは、バブル崩壊後に女性が結婚相手に求める要件として心理学者の小倉千加子さんが、著書『結婚の条件』(朝日文庫)の中で「3高」に代わる価値観として提唱したものです。

　まずComfortable、直訳すれば「快適な」だが、意訳すると「十分な給料」である。二番目にCommunicative、これも直訳すれば「理解しあえる」だが、真意は「階層が同じかちょっと上」というものである。(中略)最後はCooperative、「協調的な」だが本当は「家事をすすんでやってくれる」であった。


「Comfortable」は、快適な、生活保障ができる収入などを指します。

「Communicative」は、理解しあえる、階層が似ているということです。

「Cooperative」は、協調的な、家事分担できるという意味です。

　この3つの頭文字だそうです。女性に家庭のことをやってほしいと思うとき、「関白宣言」のように、「おいしいめしをつくれ」とか「口出しするな」とか上から目線で命令するのでは、相手はやる気を失うだけです。会社ではどのようなことが起き、自分はどのように疲れているのかを妻に率直に伝え、だからいまは家庭のことはよろしく頼むという姿勢が必要です。そして、妻が疲れているときは、自分もできる限りそのサポートをする用意があることを話しつつ、妻の訴えをしっかり受け止めることで、質のいい生活を保障できる働き方を工夫してみましょう。そのような「3C」が備わっていれば、妻の協力を引き出しやすくなりますし、職場の同僚や部下を動かすためにも役立つ力です。

経済力が弱い家事専業の女性は、正面切って逆らえば生活が立ち行かなくなるため、軽蔑《けいべつ》感を抱きながらも我慢を続けることがあります。私の身近にも、いくら言っても家事を分担してくれない夫に業を煮やし、家事を一切夫に頼まず夫を無力化することで腹いせをしようとした妻がいます。その女性は夫が老後を迎え、自分が先に亡くなったり、離婚したりしたときに、家事能力のない夫が困るのを見てやりたい、という気持ちがあったと打ち明けていました。

国会議員で弁護士の福島みずほさんは「男の人は立ててあげるものよ」とたしなめる母に、「お母さん、一人で立っていられないものを無理して立ててあげる必要はありません」と答えたそうです。必要なのは「立ててもらう」のでなく「支え合う」ことです。3Cを生かして、「立ててもらう」から「支え合う」へ発想を切り替えることが大切です。

発想を切り替えられなかった場合と、切り替えた場合で、「大黒柱」コースはどう変わるかについて、実例から再構成した二つのケースで見てみましょう。

大黒柱＋亭主関白コース　二つの選び方

〈ケース③　二〇××年　夢夫Ⅰの場合〉

夢夫は子どもの頃から、一家の大黒柱として仰ぎ見られる夫になりたかった。父は外で長時間働き、母は家事をすべて引き受けて子どもたちを育ててきた。そんな家庭に育ち、家族を養い、妻から奉仕されるのが男の甲斐性《かいしょう》と考えてきたからだ。

共働き家庭で育った友人が、食後に家族全員で茶碗を洗ったり、母親が、父親に意見を言ったり、父親や子どもたちを指揮して日曜日に大掃除したりしているのを見て、ああいうエラそうな女性とは結婚したくないと思ってきた。クラスでも、活発な女子とはあまり口をきたくなかった。うっかり何か言うと、やり込められてメンツを失うのが怖かったからだ。

夢夫は、大学を卒業して職場の後輩の女性と結婚した。夢夫が何か言うと、「すばらしいわ」といわんばかりの尊敬のまなざしで見上げてくれる小柄な女性で、「専業主婦として家庭に入るのが夢」と言ったので、安心したからだ。夢夫は「俺についてこい。家庭のことだけしっかりやって、仕事に口出しはしないでくれ。女には女の役割がある」と妻に言った。

妻は毎日、夢夫が会社に出かけるときは三つ指をついて送り出し、残業で遅く帰ってきても起きて待っていた。そうしないと夢夫が不機嫌になって食卓をひっくり返したりするからだった。夢夫は子育てにはかかわらず、子どもの成績のことなどで学校から呼び出されたりすると「お前の育て方が悪いからだ」と妻を叱るだけだった。

子どものことで会社を休んで上司に悪く思われるのが嫌だったし、子どもと向き合うのが怖かったからだ。幼い頃からまともに家族とかかわったことがなかった夢夫と、子どもたちは口もきかなくなっていた。

会社の求めるままに励み、部長になった五〇代、夢夫は突然、管理職から降ろされた。上司からは「会社の外の変化にうとくて、新商品開発などもできそうもない。部下の女性たちは、子どもの病気で休むと君にパワハラされると言ってやめてしまう。最近では子育てにもかかわりたいという若手の男性社員も増えてきたが、君のことを理解がないと言って嫌がっている。管理能力がない」と言われた。

給料は六割に減った。上司は年下の女性で、子育てしながら新しい分野の商品開発で成果を上げた人だった。「仕事と家庭を両立できる職場にしたいので、夕方五時の定時に帰宅しないと評価を下げる」という方針を打ち出し、「生活領域にくわしく、アイデアが豊富」として育児に熱心なイクメンや女性の部下の意見を重んじた。

夕方に職場を出るようになった夢夫が帰宅すると、妻は「会社、クビになったんですか」と驚いた。「こんな時間に帰ってこられても、あなたのご飯の用意ができていません」と言う妻に「それでもお前は妻か！　だれのおかげでご飯を食べられると思っているんだ」と怒鳴り、殴りつけた。会社での鬱憤《うっぷん》がたまっていたため、あたってしまったのだった。

妻は黙っていた。子どもたちが「お母さんに何をするんだ」と食ってかかった。「左遷《させん》されたから、馬鹿にしているんだな。少しは父親を立てろ！」と声を荒げると、子どもたちは「子育てなんかしなかったあんたは、父と呼ばれる資格はない」と言い放った。

数年して、夢夫が定年になり、退職金と年金が出た。待っていたかのように、妻は年金分割を求め、子どもたちと家を出ていった。「最初は専業主婦にあこがれていたけど、一人で子育てに取り組まなければならないワンオペ育児ばかり。でも、いまさら働けないから年金と退職金が出るまで我慢しようと三〇代から準備していた」と、彼女は言った。

家事をやったことがない夢夫は、どこに茶碗があるかもわからず、洗濯のしかたもわからず、汚れ物はたまり、外食続きで体調を崩した。妻に依頼された弁護士がやってきて、これまでの貢献分を妻に渡すよう求めた。妻の実家が自宅の頭金を負担していたこともあり、家庭裁判所の調停で自宅を売って財産を分けることになり、夢夫は家を失った。老後を前に、元関白の夢夫は呆然としている。

〈ケース④　二〇××年　夢夫Ⅱの場合〉

夢夫は子どもの頃から、一家の大黒柱として仰ぎ見られる夫になりたかった。父が外で長時間働き、母は家事万端を引き受けて子どもたちを育ててきた家庭に育ち、家族を養い、妻から奉仕されるのが男の甲斐性と考えてきたからだ。

職場で出会った専業主婦志望の女性と結婚し、「俺が右を向けと言ったらずっと右を向いていろ」と言っていた夢夫だが、ある日、突然、人件費を減らすため管理職を降ろすと言い渡された。賃金は大幅に減った。それまで「俺が食べさせてやっている」と言い続けてきたが、これから「食べさせてやる」ことができるだろうか、と不安を抱いた。

夢夫の父は一九八〇年代のバブル時代末期に会社に入り、バブル崩壊で経営が厳しくなった会社員生活を、モーレツ社員として乗り切った。そんな父の生き方しか目にしてこなかったが、ふと祖父のことを思い出した。祖母は保育士で、祖父は中小企業の社員だった。一人では家族全員を養うほどの賃金を受け取れなかったが、祖母と共に働き続け、父たちを育てた。祖父は、祖母と家事を分担し、助け合っていた。「困ったら無理せずに家族で話し合え」

と言っていた祖父の言葉を思い出し、夢夫は、妻に管理職を降ろされたことを打ち明けた。

「これまで俺が食わせてやっている、なんて威張っていてすまない。もう「食わす」ことなどできない。意見が聞きたい」と言うと、妻は「あなたがこんなに素直に弱みを見せるなんて、見直した。パートで月一〇万円くらい稼げればなんとかなる。私も頑張る」と言った。夢夫は「それなら俺も、家事を分担するよ」と言った。

それまで、帰宅したら、お帰りなさいませと出迎えろ、と言ったり、仕事で疲れているのだから早く飯と風呂にしろ、と怒鳴ったり、子どものことはお前に任せてある、と言い続けてきたりしたのは、家族の生活費を一人で稼いできたことにストレスを感じていたからだと、夢夫は改めて気づいた。

二人が忙しいときは、子どもも家事を分担するようになった。家事や職場のことを、家族みんなで話し合えるようになった。一人で威張っていたときより、家の中が明るくなった。

「お父さんって、仕事で苦労して家族を支えてくれてたんだね。でも、家事もうまいじゃん」と子どもに言われた。

日曜は、時間をかけて妻と二人で夕食をつくることが楽しみになってきた。ある日、二人で鍋物の野菜を刻んでいると、妻が「あなたがここまで家事が上手になるなんて、思いもしなかった。仕事も家庭のことも、両方できるようになったあなたって、すてき」と言った。

こういう尊敬のされ方もあるんだ、こういうのもありかもな、と夢夫は思った。

コース③ 「正社員」を生き延びる

◉「正社員」になれば勝ちなのか

これまで、「専業主婦」と一家の「大黒柱」という男女の従来型の選択肢について考えてきました。みなさんの間にも、そうした当たり前が浸透している場合が少なくないので、まずは、それを検討し直すところから始める必要がある、と考えたからです。ここからは、その上に立って、男女がそれぞれ働いて、経済的に自立していくときのリスクとメリットを、点検していきたいと思います。

その一つとして、「正社員」として働く中で何が起こりうるのか、そうした事態をどう乗り越えるのかについて考えてみましょう。

このように言うと、「正社員になりさえすれば安泰なのだから、正社員になる方法を教えてくれればそれで解決では」という声が聞こえてきます。本当にそうでしょうか。

確かに、少し前まで、「正社員」のほとんどは、よほどのことがない限り定年まで働くことができ、福利厚生に恵まれ、定年後はそれなりの年金が出て老後はなんとかなる、ということが原則でした。そうなっていない小さな会社でも、それは目指すべきモデルでした。

というより、新卒で入社する場合は、基本的にみな正社員採用だったのです。

ところが、一九九〇年代後半から低賃金で短期契約の非正社員が大幅に増えていき、そうした状態は激変していきます。その結果、正社員も、「当たり前」から「特別の恩恵」に変質してしまいました。

たとえば、「正社員」になっても、かつては当たり前と思われてきた「定期昇給」(勤め続けていくと毎年給与が上がっていく仕組み)がなく、非正社員とさほど変わらない賃金のまま働き続ける正社員は珍しくなくなっています。こうした正社員は「名ばかり正社員」「周辺的正社員」などと呼ばれています。

「多様な正社員」の名の下に、全国転勤する正社員と転勤できないで地域にとどまる正社員との間にも賃金格差がつけられ始めています。そうした中で、介護などを抱えていて転勤できない場合は賃金が安くなってもしかたない、とされる場合も出てきています。

さらに、正社員は非正社員より待遇がいいのだから会社に貢献すべきだとして極端な長時間労働を強いられ、時間あたり賃金に換算したら非正社員以下になっていた、なんていう例もあります。あまりにも労働条件が悪いので退職しようとしたら、「正社員は定年まで辞めてはいけない契約なんだから、辞めるなら賠償金を払え」と脅された例もあります。私たちには転職の自由が保障されていますから、これはもちろん違法です。

　正社員は、「定年まで働き続ける権利がある働き方」であって、「辞めてはいけない働き方」ではないのに、これを捻《ね》じ曲げ、働き手の仕事の選択の自由を狭めようとしているわけです。背景には、非正社員の働く条件がよくないことが知れ渡り、「非正社員」で募集しても敬遠されてしまうため、人手不足を乗り切るために、中身は悪くても「正社員募集」の看板を掲げる会社が増えてきたことがあります。

　これを聞いて、それは小さな企業のことで大企業なら大丈夫と思っていませんか？　でも、最近では有名な大企業でも、人件費を減らして利益を確保するため、理由をつけて簡単に解雇することは結構あります。定年まで安泰と思っていたら「業績を上げていない」として「業務改善」を求められ、その「改善」のハードルを会社が極端に引き上げてきて、達成できないことを理由に退職を求められる、という例です。

　ですから、正社員であっても労働法など働くルールの基本をしっかり身に着け、「なんだか変だな」という直観を磨いておくことは大切です。細かい法律はわからなくても、行政や労組、NPO、労働問題専門の弁護士などによる労働相談窓口もあります。困ったらここに電話するなどすれば一応のことは教えてもらえます。これは、病気かなと思ったときに医師に相談に行くのに似ています。症状を診断してもらって対策を立てるわけです。その意見に疑問を持ったら、別の医師の意見も参考にする「セカンドオピニオン」(第二の意見)のように、違う相談窓口に行き、意見を聞いてみてもいいでしょう。「変だなと思ったら労働相談」です。

正社員になるには?

そのような基礎を踏まえたうえで、「正社員になるには?」という疑問にお答えしたいと思います。正社員になるには、まず非正社員を減らして正社員枠を増やす政策が大切です。どんなに頑張っても枠が増えなければ、正社員になる確率は減ります。椅子取りゲームで椅子が少なければ、どんなに素早く動いても、一定数、座れない人が必ず出るのと同じです。

そのうえで個人として必要なことは、働くことでどんなことを達成したいのかを、自分なりに考えることかもしれません。そう考えていくと、「正社員になりたい」「○○会社の社員になりたい」というのは本末転倒、ということがわかります。自分が達成したいことのためには、どんな業種や企業で経験を積むことが役立つのか、また、その会社で自分は何ができそうかを考え、希望する企業に「これから一緒に働いたら何かいいことがありそうな人」と思ってもらうことが必要なのです。

　採用面接に行ってもその企業が何をしているのかほとんど知らず、自分の人生観や、人生設計がどう結びついているのかなどを説明できないと、面接する側も「なんで来たの？」と思ってしまいますよね。そうならないためには、日々たくさんの本を読み、社会や人についての知識を蓄え、自分の考えをそれなりに持っておくことです。また、いろいろな先輩や大人の話を聞いて、どのような働き方が世の中にはあるのか、その何が問題で、何がすばらしいのか、を考えておくことも大切でしょう。

「バリキャリ」と「ゆるキャリ」

　さて、正社員になったとします。女性の正社員について「バリキャリ」コース、「ゆるキャリ」コース、という分類がされたことがあります。「キャリ」とは「キャリア」の略で、一般に会社の中で管理職になっていく人たちを指します。正社員は、そうした人たちと考えられていますが、その中でも、「バリキャリ」は、バリバリ働いて昇進していく人たち、「ゆるキャリ」は、生活を大切にしてゆったりと働きつつ会社で位置を確保していく人たちです。

　先日も、ある女子中学生が、「将来はバリキャリとして働きたいので、新聞記者として活躍した女性に話を聞きたい」と、私のもとにやってきました。

活躍してほしいのはもちろんですが、「バリキャリ」と言われている働き方は、「猛烈に働く女性、ファッションや恋愛よりも仕事やキャリアを重視しているような女性のあり方を意味する語」(「実用日本語表現辞典」weblio.content/バリキャリ)とされています。つまり、仕事だけを自己実現の手段と考え、私生活を顧みずに職場での成功を優先する生き方です。かつて「モーレツ社員」と呼ばれた男性正社員のあり方を、女性がなぞっていると言っても

バリキャリタイプ．末は管理職か，はたまた経営者か?!

いいでしょう。

「活躍」と言いますが、私生活や家族との時間を犠牲にしないと達成できない働き方でいいのでしょうか。コース②で見たように、男性自体がそうした働き方から脱却しないとやっていけない時代に入っています。女性も、むしろ新しい「バリキャリ」スタイルを考えてもいいのではないでしょうか。

そんな中で、最近では「ゆるキャリ」コースが注目されてきています。これは、「仕事だけが人生じゃない」と、育児や私生活を優先しつつ、過労死を避け、マイペースに仕事を楽しむ働き方です。

ただ、正社員の働く条件全体が厳しくなる中で、「ゆるキャリ正社員」の道が狭くなっているのも事実です。非正社員を使いやすくする制度改定が進み、人件費を抑えて利益を増やすために正社員を非正社員に置き換える方が安いと考える企業が増えているからです。

そこで、出産でいったん退社し、産後に資格などを生かしてスキルが必要な仕事についたり、個人経営の店や小さな企業で経営者に信頼され、事務万端を受け持ったりして、ゆるい仕事でもそれなりのやりがいと賃金がもらえる場を目指すやり方が目立っているようです。男性にも、こうした働き方を目指す人がかなり増えています。

また、非正社員になることで「ゆるキャリ」を実現しようとする人もいます。ただ、非正社員自体、厳しい働き方が増え、加えて経済的自立が難しいのが問題点です。そうした非正社員の生き延び方については次のコース④で扱うことにして、まずここでは、正社員としてある程度活躍しつつ、仕事以外の人生も楽しむ「新バリキャリ」への道を提案します。

きっかけは均等法

一九七〇年代ごろまでの日本には「バリキャリ」「ゆるキャリ」として女性の働き方を二分する考え方はありませんでした。あったのは、外で働く女性と専業主婦(+主婦パート)の二つのモデルでした。

働く女性が二分されたのは、一九八五年に制定された均等法からでしょう。

均等法は、家事や育児を妻に任せて長時間働く男性型の働き方に合わせられる女性のみを正社員として受け入れるものでした。それまで働く女性たちには、保護規定がありました。労基法という働き方の基本ルールを決めた法律の中で、女性には家事や育児の時間を確保し、母体を壊さないよう、夜一〇時以降の深夜勤務や休日出勤が禁止されていたからです。

家事や育児は女性がするもの、女性は子どもを産むべきものとする性別役割分業に合わせ

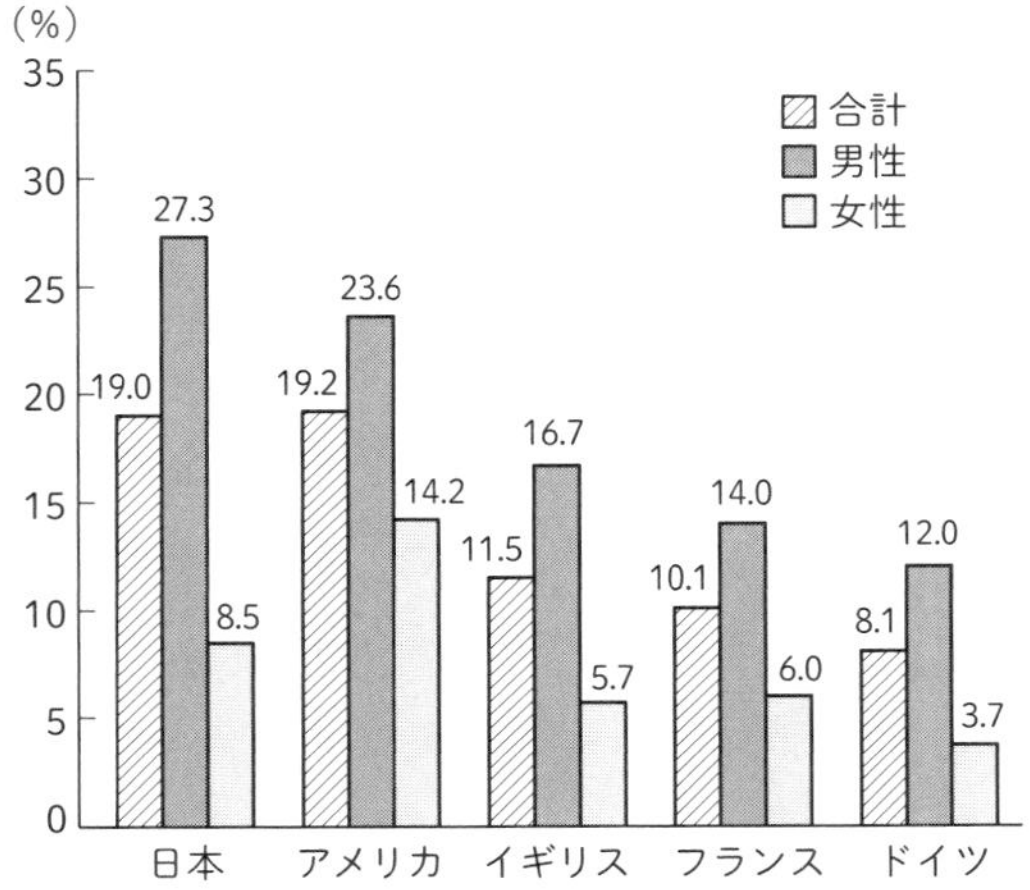

図 4　先進国における「週労働時間が 49 時間以上の者」の割合(2018 年)(厚生労働省 HP をもとに作成. 資料出所：総務省「労働力調査」(2018 年平均)など)

て、このような保護があったとも言えるでしょう。

その結果、女性は男性より使いにくい性として採用枠を狭められてきました。その「保護」を撤廃することで、女性も「男性並み」に働けるようにした、という一見、結構な改変に見えるのですが、問題は、その「男性並み」が、多くの女性を正社員から閉め出す効果を発揮したことでした。

図4のように日本は、主要先進国の中では突出した長時間労働で、妻なしでは働けないような仕組みが続いてきた国でした。これに合わせないと正社員になれないため、均等法制定後、子

どもを産んだり長時間労働で体を壊したりした女性はパート労働や派遣労働など、非正規社員へと移っていきました。

大企業の中には、均等法ができたとき、残業や転勤を引き受けたくない女性向けとして「一般職」というコースをつくるところもありました。男性並みの働き方を引き受ける「総合職」がいまで言う「バリキャリ」、一般職やパートが、「ゆるキャリ」にあたると言っていいでしょう。こうして、家庭をあきらめて男性と同じ働き方を目指す女性と、家庭をあきらめたくないため仕事や経済的自立をあきらめる女性とに、分裂したのです。

一九九〇年代ごろは、大手商社や生命保険会社、証券会社などで働く女性たちが、均等法とともに昇格がない一般職コースに仕分けされ、昇格と賃金の点で男性に大幅な差をつけられたことを女性差別だとして、相次いで訴訟を起こしました。多くは、二七歳を過ぎた頃に昇給が頭打ちになり、四〇代には同じ年に入社した男性大卒社員の賃金の六割程度になり、働いているときの賃金水準が影響する退職金や年金でも大差がつくことがわかったからです。

しかも、「総合職」は大卒以上とすることで線引きをしたため、学歴の壁も高くなりました。それまでは、数は少なくても仕事ができる高卒女性が中間管理職になるという例はありました。それが、大学に行けるレベルの家庭の女性でないと「バリキャリ」になりにくくなっていったのです。出身家庭によって格差が広がるこうした事態を改善するために、国は教育費の公的支援の強化や学歴より仕事に見合った処遇ができる公正な評価方法をどう作っていくかを考えるべきだったのですが、それは置き去りにされたのです。

代理妻が必要

このような働き方では、バリキャリになるには、「学歴」以外に「妻」が必要となります。長時間労働で、妻がいないと働き続けられない「妻つき男性モデル」の働き方に、女性も合わせなければならない仕組みが固定化したからです。

ただ、逆に言えば、女性も「妻」的存在がいればなんとかなる場合が出てきた、ということで、「妻の代わり」となるサポートを取り付けることができる女性の中には所得などがアップする人も増えました。たとえば均等法ができる前までは、年間の給与所得が三〇〇万円以下の女性が働く女性の八割も占めていましたが、一〇年後にはそれが六割に減っています。

問題は、その後も六割という数字はほとんど変わらなかったことです。「妻の代わり」を持てなかった多くの女性が両立をあきらめて低賃金の非正社員や、フリーランスなどの自営に移っていったからです。

それでは、女性が「妻」を持つにはどうしたらいいのでしょう。方法は、三つあります。①家事や育児・介護を代行してくれる家事サービスを買い入れること、②夫が主夫となり、「妻」の仕事を引き受けること、③夫または自分の母親に頼んで「妻」の仕事を引き受けてもらうこと、です。

①は働く時間が延びれば延びるほど出費がかさみ、かなりの収入がないとやっていけませんから、だれにでもできる解決方法とは言えません。

②も、夫が家事を引き受けた結果、収入が減る場合が少なくありません。労基法四条では性別を理由に賃金に差をつけてはいけないことになっています。ただ、正社員であっても昇進・昇格に男女差があり、正社員でも女性の平均賃金は男性の七割程度にとどまっているからです。まして、労働時間が短いパートや、短期で契約が終わる契約社員、派遣会社から各会社に貸し出される形で働く派遣社員などは、賃金が低く、これら非正社員の七割が年収二〇〇万円以下です。働いている女性の五割以上が非正社員ですから、そうなると主夫の生活費まで稼ぐのは簡単ではありません。

③は一番可能性が高く、子育てしながら働く女性の多くが、こうした「おばあちゃん保育」のお世話になっています。でも、これはおばあちゃんが丈夫だったり、近くに住んでい

たりしないと難しいです。とりわけ地方出身の人にとっては実家が離れたところにあるので、東京出身の人が有利となり、不公平でもあります。

そんな中で、二〇一五年から、家事労働や育児を担当する女性の働き手を海外から受け入れできるように法律が変わりました。「外国人家事支援人材」と名付けられた途上国の女性たちが、日本の派遣会社や家事サービス会社に雇われ、家事支援やベビーシッターなどとして派遣される仕組みです。ただ、一般家庭が利用するには低価格でないと難しいことや、働きにやってきた外国人が相談する窓口が十分に整備されていないことで、今後、こうした働く女性たちへの新しい人権侵害も心配されています。

安心して「バリキャリ」になるには公的な育児・介護支援の充実や、男性も含めた労働時間の短縮などが、今後の課題と言えるでしょう。

バリキャリの背後に過労死と少子化

女性の「バリキャリ」志望者が直面している壁について挙げてきましたが、男性の「バリキャリ」も壁に直面しています。その一つが、すでに何度か述べてきた過労死です。

女性が活躍しにくい社会では、男性は妻の生活費の分まで稼ぎ出さなくてはいけないため、長時間働くしかありません。

日本の働き手の年間の労働時間は、二〇一九年時点で、平均して一八〇〇時間を切っています(厚生労働省「毎月勤労統計調査二〇一九」)。日本の政府は長く、先進国並みを目標に労働時間短縮の旗を振ってきましたが、この数字を見ると、一六〇〇～一七〇〇時間台の欧州各国と、もう変わらない？と思ってしまうでしょう。ところが、男性の働き方を基準にしている正社員に限ると、労働時間はなお、二〇〇〇時間程度です。つまり、女性が家事や育児の合間に短い時間働くパートタイム労働者や、定年後に短時間で働く非正規の高齢社員が増えているため平均値を下げただけなので、「バリキャリ」の中核をなすフルタイム男性労働者の労働時間は減っていないのです。

何度も言っているように、一日最大八時間労働までという国際基準は、八時間は睡眠、さらに八時間は子育てや介護などのケアや生活にあてることで、人間らしいバランスの取れた暮らしの基本要件です。ところが日本では、週に四九時間(一日平均二時間近くの残業)以上働く人は、男性では三人に一人近くに達しています。そんな中、日本では働きすぎで死ぬ「過労死」が問題になってきました。

厚生労働省の基準では、月の残業が一〇〇時間を超し、二～六カ月の月平均残業時間が八〇時間を超していた場合などは、過労死と認められます。残業が月四五時間を超えると黄信号とされています。日本の働く男性の三人に一人は黄信号または赤信号、ということです。女性の「バリキャリ」は、こうした働き方を求められることになるわけで、二〇一五年には、電通という大手企業で入社一年もたたない総合職女性が、長時間労働とパワハラの末に自殺し、大きな問題になりました。

これでは、出産・子育てを先送りする女性も増えます。均等法ができた一九八五年以降、日本の少子化は急速に進みました。また、多数の女性が仕事と家庭の両立のために低賃金の非正社員に移った結果、離婚したら貧困、という事態も生まれています。低賃金で契約打ち切りが簡単な非正規の働き方は企業にはとりあえず便利ですから、男性にも広がり、日本の貧困拡大の一因となっています。

「私生活を顧みずバリバリ働く」は、一見、華やかでかっこいいのですが、その裏には、こんなにいろいろな問題が生まれているわけです。

そこまで頑張って「バリキャリ」になっても、最近では企業の業績が悪いと、「リストラ」と言って、人件費を下げるためにクビになってしまうことが少なくありません。企業のためにすべてを費やした人たちがそのような目にあったら、何もかも失った気になり、呆然とするのではないでしょうか。「バリキャリ」には、そんな落とし穴もあります。

「ゆるバリキャリ」のすすめ

バリキャリ正社員も不安定化する中で、経済的に最強の安定型と言われるのが、バリキャリ同士のカップルです。夫の雇用が不安定になり、夫婦で働いて、片方が失業してもなんとかなる道を確保する必要が強まっているというわけです。また、バリキャリ同士のカップルは、二人分の収入が入るため、万一、夫婦でリストラされても、貯めた預金や、二人で購入したマンションの家賃で次の仕事が見つかるまで生活をつなぐことができるとも言えます。ただ、そのためには「妻がいることを前提とした二四時間型労働」を基本とする従来型バリキャリでは無理です。

シングルの「バリキャリ」も、過労死のリスクに不断にさらされて働き、気が付いたら支えてくれる友人をつくる暇もなかった、ということになりかねません。

となれば、必要なことは「バリキャリ」の危うさを改善する「ゆるキャリ型バリキャリ」(ゆるバリキャリ)を目指すことでしょう。

カギの一つは、働く時間の使い方です。特にこれからバリキャリを目指そうとするなら、企業に拘束される時間を極力減らし、外に人脈をつくりながら、必要と考える仕事を達成する「ゆるバリキャリ」を目指すことが必要です。

そのためには、帰宅時間から逆算して仕事の段取りを決めることが第一の要件です。

これまでのバリキャリは、夜遅くまで働いて、仕事を多く達成することがよしとされてきました。背景に妻がいることを前提に「一日あたりの生産性」を上げるという考え方です。でも、バリキャリ・カップルを目指すなら、家庭や私生活との両立が可能な一日八時間の国際基準の範囲内で目的を達成することが必要です。「時間あたりの生産性」を上げる方法を考えることが問われてくるわけです。

「でも、仕事が終わらないのに帰っちゃったらまずいでしょ」と考えるみなさんには、シンガポールで出会った優秀な秘書の女性の仕事方法をお薦めします。彼女は仕事を始める前にその日のうちに絶対やっておかねばならないことをリストにして書き出し、優先順位の高い方から片付けていきます。飛び込みの仕事が多い人は、そのつど、順位を修正していきます。さて、帰宅時間として決めている午後五時がきました。その時間までに、絶対に終わっていなければならない仕事は片付けてあります。残った仕事は次の日に回します。「その日にできることを翌日に回すな」とよく言われますが、「次の日に回せることは翌日に回せ」

が正しいのです。とはいえ、積み残しはたまってきますから、そのときに残業を申請し、残業代を請求してたまった仕事を一掃します。そして翌日からまた五時帰宅です。

つまり、締切時間から仕事を逆算するわけです。人間はいつかは死にます。つまり、締め切りがあるのが人生なのです。だからこそ、仕事も、締め切りに合わせて組み立てることが必要です。

第二のカギは、父のように働くな、母のように家事をするな、です。これまでのバリキャリは、妻が家にいることを前提に「二四時間職場で戦って」いました。これを受けて、女性は家庭で二四時間、全力で家事・育児をするものとされていました。かつての父のように会社に全時間を使い、母のように家事・育児に追い回されていたら、四八時間が必要です。だから、ゆるバリキャリは、しなくていい仕事や家事は省くことを心がけます。

こうした働き方ができるかどうかは上司にも大きく左右されます。そこで、最近では「イクボス」を推奨する企業が増えています。管理職自身が育児を引き受けることを宣言し、部下も同様に早く帰宅できるよう、仕事の指示のしかたを変えるやり方です。

そのためには、育児や介護や病気で休む部下が出ても穴を埋められるよう日常から情報を共有しておくことや、だれかが休んでも、その仕事を代わりに引き受ける人が必ずいる態勢をつくる、会議や書類づくりを減らして自由に使える時間を増やす、自身も早く帰ることで部下の居残り負担を軽減する、などの新しい労務管理の手法が求められます。

部下をできるだけ企業内に引き止めておくことが上司の腕という従来の考え方を改め、部下を早く帰せることが上司の腕と発想を切り替えることです。それによって夜間の光熱費や残業代も減り、過労で死ぬ社員も減る一石三鳥というわけです。その場合、残業代が減っても昼間の仕事の時間あたり賃金を上げて、生活を維持できるようにすることも不可欠です。

ただ、最近では、残業代を払いたくないため、仕事の量を減らさずに「早く帰れ」と無理を言うやり方も横行しているようです。これは「時短ハラスメント」(労働時間を短縮できるような仕事の配分をせず、早く帰れと強要する嫌がらせ)とも呼ばれています。

そんな歪みを克服する第三のカギが、意味のない仕事をやめること、そして体がもたないと思ったらちゃんとさぼる、いい意味の手抜きを工夫する、です。「いい加減はいけない」と年長者から言われることが少なくありません。それは基本的に正しいのですが、いい加減はよい加減という場合もあるのです。働かせ方があまりにひどいと感じたら、労組や弁護士、行政の労働相談などに連絡し、その助言をもとに会社と交渉して改善する方法もあります。

取材で出会ったある女性は、大学を卒業して大手企業に就職しました。大手なら実績本位で早く帰れて、私生活と両立できると思っていましたが、思惑《おもわく》は外れました。その企業は、周囲に付き合って長く職場にいなければならなかったり、いいアイデアを考えても長々と会議をした末に「先例がない」と採用されなかったり、無駄な時間が多すぎたからです。

あまりの効率の悪さに、女性は独立して小さな会社を立ち上げることにしました。私生活を重んじる女性仲間を集め、夕方には仕事を終えて帰れる仕組みをつくりました。

また、人々が本当に欲しがっている商品を手掛けることを心掛けました。必要ない商品では足を棒にして歩いても買ってくれないばかりか、時間ばかりかかって利益は上がらないためです。向こうから出向いてくれるほど必要な商品を売れば、営業も短時間ですみます。そこで考えたのが、雑穀《ざっこく》料理の店でした。雑穀は健康にいいとされていますが、料理法が難しく、メニューも少ないのが当時、壁とされていました。そこで好きな料理の腕を生かして、簡単でおいしい雑穀メニューをたくさん開発し、これを提供する店を構えました。

「雑穀でもおいしい」というレストランに惹かれて客が集まり、雑穀の効果で体調がよくなったという顧客の中に、自分も店を開きたいという人が出てきました。そうした人からアイデア料を受け取って出店を支援しました。自分が店を開けられないときでも、アイデア料収入で補塡《ほてん》され、ゆったり子育てしながらそれなりの生活ができるようになりました。

このように、学歴が必要な大手企業のキャリアコースでなくても、新分野を切り開くことで、私生活を顧みない働き方を我慢しなくてもすむ「ゆるバリキャリ」の道もあります。企業で働くことは、こうした発想の基礎となる仕事の知識や、家にいただけでは得られないような、広い人脈を得るために有効です。「八時間以内」を締め切りにした、新しいバリキャリを目指してみてください。

バリキャリ・コース　二つの選び方

〈ケース⑤　二〇××年　場利子Ｉの場合〉

「バリバリ働く女性って、かっこいい」。場利子がバリキャリを志したのは、中学生のときに、国際機関のトップで働くフランスの女性のインタビュー番組をテレビで見てからだった。銀髪をきらめかせ、二人の子を育てながら大手企業の顧問弁護士として活躍し、国際機関の理事長にまで上り詰めた女性の自信に満ちた姿にあこがれたのだ。

バリキャリになるには大手企業の総合職コースを狙うことが早道と考えた場利子は、必死に勉強して有名大学に入学した。「女性活躍」を推進する政府の掛け声の中、有名四大を卒業した女性を採用して総合職を増やす企業も増えており、大手企業に採用された。

周囲の男性は、深夜まで、顧客の接待や、企画書づくりで働いていた。総合職女性の中には、出産し、保育園へ子どもを迎えに行くため短時間勤務に切り替え、午後四時ごろに職場を出る社員もいた。こうした女性の働き方は、「マミートラック」(母親コース)と呼ばれて軽視され、周囲の男性も「女はこれだから困るよ、本当に効率が悪いんだから」と顔をしかめた。

場利子は、男性と同じに残業できる自分が誇らしく、「女性だからって甘えている人って嫌ですね。同じ女として迷惑」と同調した。男性たちは「男と同じに活躍させてほしければ、同じだけ残業しなくちゃね」と言った。

「場利子君は、ものわかりがよくていいよ」と上司からも言われ、場利子は、同期の女性社員の先頭を切って課長に昇進した。場利子の課では、短時間勤務を選んだ女性は「甘えている」とされて昇進から外され、子どもの病気などをきっかけに、退職していった。

管理職たるもの、部下を育てなくては、と部長に言われ、場利子は後輩の女性に、「あなたも管理職を目指してみたら」と水を向けた。すると、「私は家庭があるからいいです。管理職になったら場利子さんみたいに毎日残業でしょう」と断られた。これだから女は、と場利子は腹を立てた。「会社にあれこれ求める前に、女性自身が積極的になるべきでしょう。

私がここまで来たのは、それだけ頑張ったからよ」と言い返し、この部下には仕事を与えなくなった。この部下も退職していった。場利子は部下の女性が残業を渋ると「男性並みに頑張ろうと思ったら長時間でも働くのが当たり前。外国人家政婦とか、ベビーシッターのサービスがあるでしょう」と言った。

長時間労働から部下が過労死し、これをきっかけに場利子の職場の長時間労働の過酷さがマスコミで取り上げられ、場利子は社内で孤立し始めた。その後、社長が交代し、新社長は、ワークライフバランスの推進を会社の目標に掲げるようになった。女性の部下を育てられないという噂がたっていた場利子は部長候補から外され、女性の後輩が抜擢された。やがて、増えていた子育てに熱心な若い男性社員たちからも、そっぽを向かれた。長時間会社にいるため、社外の情報に疎《うと》くなっていたせいもあり、新商品の開発で遅れを取った。場利子はリストラの対象になった。

再就職しようとしたが、会社の外の人脈がなく、転職支援会社に出かけた。「何ができますか？」と聞かれたが、長時間労働に追われて趣味も資格もなかった。「課長ならできます」と答えると「課長はスキルではないでしょう」と言われた。「男性並みに働けと言われたからそうしてきたのに」と、場利子は悔しがった。

〈ケース⑥ 二〇××年 場利子Ⅱの場合〉

「バリバリ働く女性って、かっこいい」。場利子がバリキャリを志したのは、中学生のとき、国際機関のトップで働く女性のインタビュー番組をテレビで見てからだった。

こうした活躍が果たして日本でもありえるのだろうかと考えてみた。早朝から会社に出かけて夜遅く帰宅する父の姿に、これでは働きながら子育てなんて無理、と気づいた。教育費に多額のお金をかけられない家庭だったこともあり、場利子は、成績優秀者は学費が免除される大学を卒業した。大手ではないが、社長が残業ゼロを目指したいとしている中堅企業を選んだ。そこで、仕事のしかたやビジネスのイロハを学びつつ、結婚・出産した。夫と協力しながら子育てを楽しみ、社外の勉強会などに参加し、さまざまな分野に友人をつくりながら、生活と折り合わせ、働く方法を工夫した。

夫と交代で子どもを保育園に連れていきつつ、複数の外部との打ち合わせ予定を事前に入れておき、これを昼までに終わらせて職場へ戻る。昼休みの後、その結果を元に書類をつくる。こうして、午後四時半ごろには仕事は片付き、保育園へお迎えに行って、帰宅する。

困るのは、前夜、同僚と酒を飲み、朝遅く出社して、場利子が帰ろうとする時間になると、会議を始めようとする上司や先輩男性社員がまだ多いことだった。専業主婦の妻がいて、帰宅が遅くなっても苦情を言わないからだ。

もう一つの壁は、長時間労働の社員に高い評価を与える上司がいることだった。子どもが生まれ、長時間労働との二重負担で体調を崩しそうになった場利子は、労働相談に電話し、とりあえず医師の診断書をもらって休暇を取る方法を助言された。しばらく休んで態勢を立て直し、復帰すると、運よく前の上司は異動しており、社長が「残業をゼロにするためのアイデア募集」を始めていた。

場利子は自らの体験をもとに、問題点と課題、解決策を報告書にして提出した。そこには、会議を午後の早い時間や午後イチに入れること、管理職研修で残業や労働時間の長さではなく、求められている仕事の中身や質で評価するノウハウを徹底すること、不要な仕事や会議をリストアップしてやめることなどが含まれていた。

報告書は評価され、社長は場利子の調査力を評価して課長に抜擢した。場利子の部署は、早く帰れて楽になると喜ぶ若手の部下が増え、特に子育てとの両立に悩んでいた男女の社員からの支持が集まった。こうして場利子は、「イクボスの星」として社外にも知られるようになった。政府の政策会議や社外のネットワークにも呼ばれるようになり、会社のＰＲにも貢献した。

その経験をまとめた本が売れ、場利子はワークライフバランスへ向けた労務管理の専門家として事務所を立ち上げ、独立した。仕事の融通がきくようになり、高齢で弱っていた親の介護もしやすくなった。

場利子を中心に、男女が働きやすい仕組みを求めるグループができて、その要求が実り、労働時間短縮政策が進められた。公的な保育施設や介護施設に税金が大幅に回るようになり、低賃金で働く女性たちも、家事育児支援サービスを買わなくても、公的サービスに支えられて働けるようになった。従来の男性の働き方に合わせるのではなく、育児も介護も抱える人に合わせた働き方を編み出していく、新しいバリキャリの道だった。

コース④「非正社員」を生き延びる

コース③でも述べたように、「正社員」はいま、働き手の五人のうち三人に減っています。

高齢者の比率が高まり、年金の不足を補うため定年後もパートや嘱託など短期契約で働く高齢者が増え、企業も低賃金の労働者としてこれを利用したことが、大きな原因であるのは事実です。ただ、一五歳から三四歳の若い世代でも、非正規は一九九三年の三〇二万人から、二〇一八年の五三七万人に増え、四四歳以下となると、五三三万人から九〇八万人に増えています。

それでは、「五人のうちの二人」にあたる「非正社員」になったら、もう先はないのでしょうか。そうとも言えません。「正社員」そのものが、コース③のように変質してしまったいま、正社員と非正社員の境界はどんどん低くなりつつあります。とすれば、「正社員」に潜り込むため、あらゆることを犠牲にするのではなく、「非正社員」も含め、どの働き方でも人間らしく生きていける制度や、生き方の方法を新しくつくっていくことが必要なのではないでしょうか。

このコースでは、そのための方策を一緒に考えていきましょう。

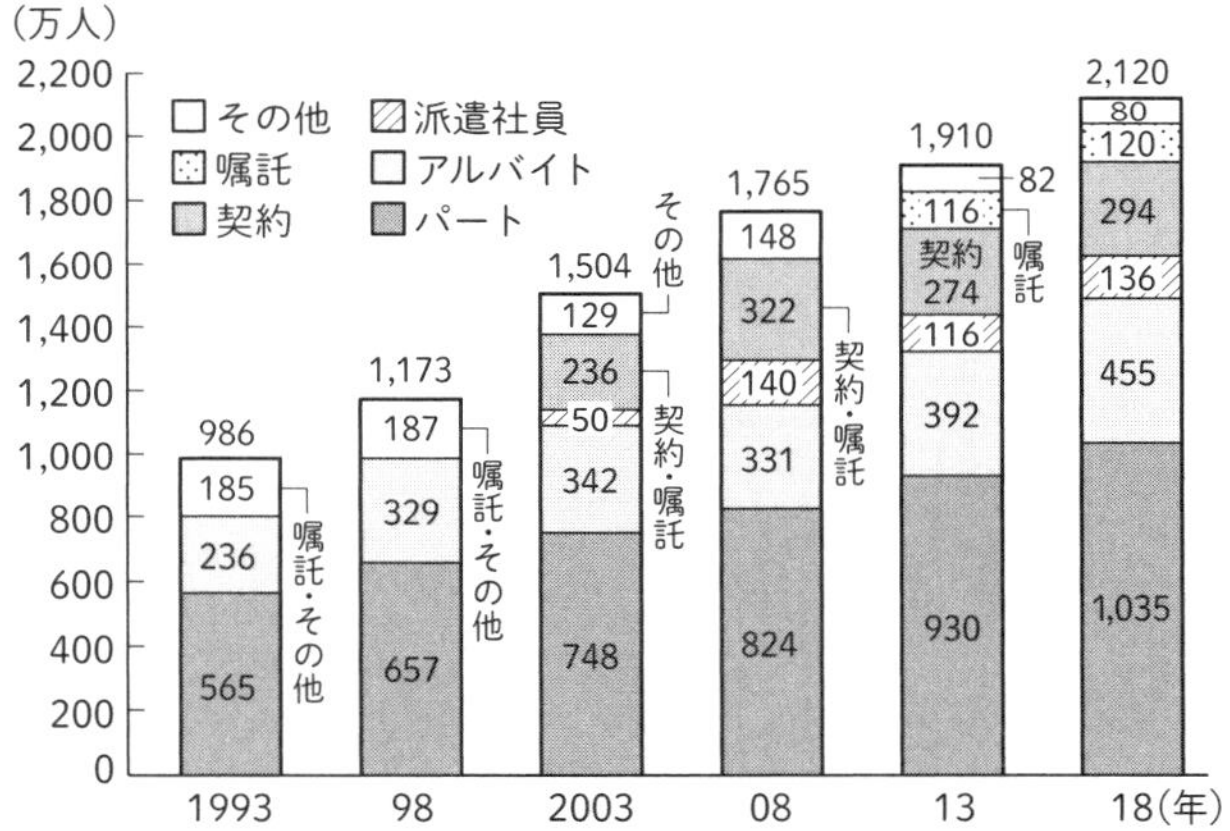

図 5 雇用形態別非正規雇用者の推移(厚生労働省 HP をもとに作成. 資料出所：総務省「労働力調査(特別調査)2018」など)

◉「非正社員」はなぜ敬遠されがちか

「正社員」は、仕事がある限りは原則、定年まで働ける「無期雇用」(期限がない雇用契約)の働き手です。戦後の世界は、人々の生存権(生きていく権利)や、労働権(働きたい人が人間らしく働ける権利)を保障できる社会を目指して、こうした「無期雇用」の働き方を原則として出発しました。このような契約だと、安定して給料が入ってくるため、安心して生活できる度合いが高いからです。

にもかかわらず、「非正社員」は、図5のように二五年間で倍以上に膨れ上がり、種類も多様化しています。その特徴は、雇用契約期間が契約書などに明記され（有期雇用）、期限がくるとほかの働き手に取り換えられて仕事を打ち切られる不安定な働き方であることです。

非正社員のうち、もっとも多い「パート」は、正社員より労働時間が短い「短時間労働者」のことです。また、フルタイムでも短期契約の働き手は「契約社員」と呼ばれます。このような短時間・短期の働き方で、学生などが学業や本業の合間に働くことは、「アルバイト」と呼ばれています。

このほか、「派遣社員」と言って、派遣会社から企業に貸し出される形で働き、派遣された先の企業が派遣会社に払う派遣料の一部を派遣会社が差し引いて企業の利益とする働き方もあります。「派遣社員」は実際に働いている会社の社員ではなく、派遣会社の社員という形をとっているため、実際に働いている企業と労働条件の交渉がしにくく、働き手の権利を行使しにくい極めて不安定な働き方です。そのため、極端に増えないよう法律でいろいろな制限がかかっています。

こうした非正規の働き方は、財政が減って、人件費が減らされる中で公務分野でも増え、二〇一六年四月段階での総務省調査では、自治体職員は一〇年前より四割も増え、三人に一人が非正規とも言われています。

加えて、最近では「業務委託」の形で、働く人を自営業者扱いにし、「会社が自営業に仕事を発注する」という形をとることも目立っています。これだと会社は、「独立した業者に仕事を依頼しているだけなので、労働時間や福利厚生に責任はない」として、雇う側としての責任を負う必要がなくなります。一方、「委託」された側にとっては、すべて自己責任で処理しなければならず、仕事にかかる経費も自分持ちになることが少なくない厳しい働き方になりがちです。

これら非正社員の特に大きな問題点は、短期雇用で職場を移っていくので職場の労働組合に加入しにくく、また、次の契約を更新してもらえなくなることが心配で、賃上げなどの待遇向上を求めることが難しくなることです。その結果、法律で決められた賃金の下限である「最低賃金」すれすれの時給で働かされ続けることも、少なくありません。労組と言ってもみなさんにはピンとこないかもしれません。働く人の八割以上がすでに労組に入っていないからです。ただ、一人なら会社に言いにくいことを、労組を通じて、まとまって要求できることは、働く条件を良くしていくために考案された重要な方法なのです。

本当に一、二カ月で終わる仕事ならしかたありません。ところが、安くてクビにしやすい短期雇用が企業には重宝なため契約期間を「ブツ切り」し、これを何度も更新して実質は正

労働現場では便利に使われてしまっている「非正社員」

社員と同じくらい長期に働いている非正社員もいます。これでは「名ばかり非正規」です。

一言でいうと、非正規という働き方は、働き手が安心して生きていくための基本的な権利が行使しにくいのです。「非正社員」が敬遠されがちなのは、このようなリスクがあるからです。ただ、逆に言うと企業の人件費削減には便利です。だからこそ、非正規を増やす会社は増え続け、「五人に二人が非正社員」の社会が生まれたと言えます。

このように非正社員が一般的な存在になったことで、正社員も「非正社員と同じ仕事で賃金が高いのはおかしい、だからもっと働け」と言われ、働き方が過酷になっていったことは、コース③で説明しました。すると次には、「正社員だと死ぬほど働かされるから、低賃金でも死ぬよりはいい」と、自発的に非正社員に向かう人も出てきます。

こうして非正社員が八割、九割を占める職場も珍しくなくなると、「非正社員は職場の多数を占めているのだから正社員の代わりをしてくれなければ困る」となります。非正社員はもはや「楽な働き方」ではなくなり、仕事が重いのに賃金は安くて不安定な働き方が多数を占めるようになってしまったのです。

就職氷河期の「先人」たち

非正社員がとりわけ大きな社会問題となったのは、「就職氷河期」と呼ばれた時期からでしょう。

それまで若者は、学校を卒業すれば、どこかの会社に所属し、そこで仕事のしかたや社会人としての常識を身に着けるものとされてきました。一方、非正社員は、女性が家事や育児の合間を縫って働く「パート」や、学生の「アルバイト」のこととされ、「夫や父の扶養があるから安くても不安定でも大丈夫」として、待遇の悪さが見過ごされてきました。

これを放置すれば、雇い主は人件費を下げるため、仕事を細切れにして、短時間・短期労働の非正社員を意図的につくり出すようになります。こうしたことを防ぐため、オランダでは「労働時間が短いことを理由に仕事が同じなのに時間給を下げたり、待遇を引き下げたりするのは労働時間による差別」として、一九九六年にこれを禁じ、二〇〇〇年には、働く側が自身の生活の都合に合わせて労働時間を選べる「労働時間調整法」も導入されました。

人件費削減のための短時間労働ではなく、働き手が生活と仕事を両立するための短時間労働へ、舵を切ったわけです。

ところが日本ではバブル崩壊後の一九九〇年代後半から大手企業が相次いで破綻し、企業の間に解雇しやすくて低賃金の非正規を求める声が高まっていきました。この間に失業率は戦後最高の水準になり、行政にも「失業率を下げるために、とりあえず仕事を」という考え方が強まり、非正規を制限していた法律は大幅に緩められていきました。

一九九九年には、一部の業務に制限されていた派遣社員が、ほぼすべての業務で利用できるように変えられ、二〇〇四年には危険度が高いため安定した正社員で、とされていた製造業でも派遣労働が認められました。

その結果、この時期に学校を卒業した若者の間では、非正社員しか就職先がないという人が大幅に増えました。この「就職氷河期世代」の若者たちは、仕事を学ぶべき二〇代にその機会を失ってしまった世代という意味で、「ロストジェネレーション」(失われた世代、以下、ロスジェネ)とも呼ばれています。

その第一世代である一郎さん（仮名）の体験は、非正規という働き方について、たくさんのことを教えてくれます。一郎さんは一九七〇年代生まれ。二〇〇一年に東京の私大を卒業しました。少し前までは、結構遊んでいた先輩たちでも、卒業すれば正社員になっていました。ところが一郎さんは、必死で就活に取り組んでも、どの会社からも採用されず、フリーターとして働き始めました。「だれでも正社員」だった時代とは異なる道を歩まざるをえない「先人」としての人生が始まります。

「とにかく正社員になって」という両親の強い希望で、フリーターとして働きながら一二〇社以上も面接を受けましたが、見つかったのは、一九九九年の派遣法改正で拡大していた派遣会社の「正社員」だけでした。働いてみると、仕事内容は通常の派遣社員と変わらないものでした。派遣社員は、派遣会社に名前を登録し、人手がほしい会社から要請があるときだけそこに貸し出される形で仕事をこなす働き方です。これらの登録している派遣社員が急に休んだときに、代わりに派遣先に入るのが一郎さんの役割だったのです。実は、これは「正社員」とは名ばかりで、「常用派遣」として雇われていたのです。

先に述べたように、派遣会社にとって派遣社員は、派遣先というお客様に「貸し出される」商品です。派遣先が出す派遣料の三割、多い場合には四〜六割程度が派遣会社の経費や利益として引かれ、派遣社員は残りをとる形になります。交通費が支給されない例も多く、一郎さんは、遠くまで派遣される仕事だと交通費で実際の賃金が大幅に減ってしまうこともあり、なかなか貯蓄ができませんでした。

その間も、他業種の正社員に転職しようと面接を受け続けましたが、「派遣社員では仕事のキャリアとして認められない」と言われて採用されません。四〇歳をすぎると、年を取りすぎているからと派遣依頼も途絶え、いまはアルバイトを三つかけ持ちして生計を立てています。

年金とパート収入で生活する高齢の親の家に同居させてもらっているので家賃は節約できますが、生活費を入れなければならないため貯蓄もできず、親の家は借家です。退職金も、十分な年金もない老後が見え始めたいま、不安でたまりません。

大学で教えていたとき、学生から「怠けていたから非正社員になったのでは」という声を聞くことがありました。でも一郎さんは、「怠けていた」どころか懸命に就職活動をし、派遣の仕事をさがし出して必死に働き、スキルを身に着けようと行政の職業訓練を受けたこともあり、努力を重ねてきた人です。

日本社会では、非正社員というだけで経済的自立ができる待遇を保障されず、正社員のような企業研修も受けられず、社外の職業訓練も不十分です。これは、だれもが正社員だった時代の仕組みが変わっていないからです。ここを立て直していかないと、働けるはずの多くの人たちが助からないことになります。

非正規を守る法律を知っておこう

もちろん、そのような状態には批判が出てきます。二〇〇八年九月、「リーマンショック」という世界的な大不景気が起き、大量の派遣工員が一斉に契約を解除され、工場の寮を追い出され、行き場を失う人が出ました。貧困問題に取り組む社会運動団体や労組が、こうした人々を支援するためのテント村を東京の日比谷公園に開設し、多くの人たちが集まりました。「年越し派遣村」です。こうした騒ぎが大々的に報道されたこともあり、非正社員の人たちの働く権利を守る法律づくりが具体化していきます。

「派遣村」に先立ち二〇〇八年春からは、女性の労働問題に取り組む人たちの働きかけが実って「短時間労働者の雇用管理の改善等に関する法律」(パートタイム労働法)が改正され、正社員と同じ仕事のパートなら同じ待遇にするという原則は規定されていました。二〇一二年には「労働契約法」という法律が改正され、有期労働者と無期労働者の間の合理的でない待遇格差の禁止や、有期契約の労働を何度も繰り返して五年を超えて働かせた場合は無期契約の働き手に転換しなければならない、という規定が盛り込まれました。また、派遣社員についても、派遣先に違法行為があった場合、派遣社員が求めれば派遣先の会社の社員になれる規定ができました。働く人の要求で生まれたこれらの法律のどこを使えるのかを知って、使いこなすことが必要です。

こうした法制度は、専門家でないとわかりにくいという問題点があります。ですから、「変だな」と思ったら、労働相談に助言を仰ぎましょう。これらの窓口は、これまでも述べてきたように、行政、労働専門の弁護士のネットワークである「日本労働弁護団」(http://roudou-bengodan.org/)、正社員でなくても入れる労組である「全国コミュニティ・ユニオン連合会(全国ユニオン)」(https://www.zenkoku-u.jp/)など、働く側に立つ人たちが運営しています。職場のサポートが十分でないことが多い非正社員だからこそ、こうした社外の無料の法律顧問が必要なのです。

とはいえ、一郎さんなど「氷河期世代の先人たち」の体験から見ても、いまの法律や制度には限界がありすぎます。制度そのものを、さらに立て直していくことが必要なのです。

たとえば、非正社員でも正社員でも一日八時間働けば生計が立てられるよう、最低賃金を引き上げていかなくてはなりません。若者たちを中心にした「エキタス」という団体は最低賃金一五〇〇円を求める運動を繰り広げています。これなら極端な残業や、昼夜問わないかけもち労働をしなくても、一応自立できる二五〇万円程度の年収が可能です。

さらに、長期にある仕事を「ブツ切り」にして人為的に非正規をつくり出すような動きを規制する非正社員の規制策も必要です。

一見、遠回りのようですが、そうした政策を掲げる政治家を増やし、こうした政策に取り組む人たちに投票する、といった行動も重要ではないでしょうか。

◎身近な支援制度を生かす

ただ、このようなアプローチは手間と時間がかかります。時給が安いため、とにかく長時間働かなくてはならない状況の非正社員には、ハードルが高いかもしれません。まずは、自身の生活を立て直さないと、そこまで手が出せないのが普通でしょう。そのためのヒントとして、学校を卒業してから非正社員と「名ばかり正社員」を往復しつつ、「自分なりの安定」を築いていった茂雄さん(仮名)の体験を紹介しましょう。

茂雄さんは一郎さんより一〇歳近く下の世代の三〇代です。高校を卒業後、地方都市の焼き肉チェーン店の店員として働き始めました。時給は最低賃金すれすれ、一日あたり一三〜一四時間労働が当たり前で、ときには一六時間労働の日もありました。疲れ果てて会社を飛び出した茂雄さんは、就職情報誌で東京郊外の大手自動車会社の派遣工員の募集を見つけました。

製造業には規則正しい労働時間を労働との交渉でつくり上げてきた歴史があり、やっと自分の時間を持てる暮らしが始まりました。寮があって家賃負担もないため、高賃金でなくても安心した暮らしが続きました。「長時間労働がないって、本当にすばらしい」としみじみ思っていたら、リーマンショックがやってきて派遣切りにあい、住居も失いました。ただ、茂雄さんはそこで、失業手当という制度を生かしながら、納得のいく労働条件で働ける正社員の職を探しました。

その結果、正社員で、太陽電池を営業販売する仕事が見つかりました。ただ、各企業への飛び込み販売を求められ、売り上げが上がらないと賃金がもらえない仕組みでした。生活は安定せず、ついに転職を決意しました。

次は、自動販売機に商品を補充する会社の正社員でしたが、長時間労働なのに残業代は出ず、上司のパワハラにも悩まされました。正社員だからなんとかなる、という時代ではなくなっていたのです。

ただ、この会社では、同年輩の若い社員たちが労組を立ち上げ、長時間労働とパワハラをやめるよう求める動きが起きていました。茂雄さんも参加し、状態は改善されていきました。茂雄さんはこうした中で介護職の女性と巡りあって結婚し、いま育児を分担しながら働いています。「二人で働けばそれなりに余裕が出てくる。そのためにも育児などができる労働時間は不可欠です」と茂雄さんは言います。

一郎さんは「正社員」「いい会社」を「人並み」と考えて追い求めた世代ですが、茂雄さんは、何もないところから、手近に利用できる支援制度を生かして、自分に必要な働き方をつくっていった世代です。「正社員」かどうかより、①失業手当などの公的な支えを生かして余裕を持って仕事を探し、②働くことを通じて「自分の時間が持てる働き方」の重要性を知り、③労組などの社会的な枠組みも生かして仲間をつくりながら、「持続可能な労働条件」の獲得を目指していった、と言えるでしょう。

大事なのは、三つの「溜め」

茂雄さんの試みは、社会の多様な支えを生かして三つの「溜め」を確保するものでした。

これは、不安定な状況に置かれやすい非正社員にはとりわけ必要です。「溜め」とは余裕のことです。社会運動家の湯浅誠さんは『反貧困――「すべり台社会」からの脱出』(岩波新書、二〇〇八年)という本の中で、貧困に陥る要件として、この「溜め」がないことを挙げています。

一つめは「金銭の溜め」です。人は仕事がなくなったとき、次の仕事が見つかるまで生計を立てられるほどの蓄えなどがないと、劣悪な仕事にでも飛びつかざるをえません。そして、そこで体を壊したり、使い捨てられたりしてまた仕事を失い、さらに劣悪な仕事に飛びつく……という悪循環に陥り、持続可能な働き方ができなくなります。

親が資産家だったり、高い賃金をもらっていて十分な貯蓄があったりする人は、じっくり仕事を選べ、危ない働き方を避けることができます。低賃金でも知識があれば、茂雄さんのように失業手当を利用したり、低所得を支える生活保護を行政に申請したりすることで「金銭の溜め」を確保できます。困ったら、労働相談や貧困問題にかかわる市民団体の電話相談などに連絡し、どんな支えがあるのか聞いてみることは、その意味でも大切です。

二つめは、家族や友人などの「人間関係の溜め」です。日本は公的社会保障が弱く、家族で支えろという無言の圧力が強い社会です。若くして路上に出ざるをえない「若者ホームレス」の多くは、不安定な非正規労働につき、失業しても家族との不仲などで支えてくれる場がなかった例が多いと言われています。先に挙げた一郎さんは、家族という「人間関係の溜め」でかろうじて支えられた例でしょう。

ただ、困ったら家族がなんとかしろ、という社会は、悪くすると頼られた家族も共倒れになる恐れがあります。そんな事態に陥らないよう、公的な支えを充実させることが大切ですが、同時に、家族以外の人間関係を「溜め」としてつくっておくことも必要です。

経済学者の玄田《げんだ》有史《ゆうじ》さんは、転職がうまくいく人は「ウィーク・タイズ」(弱い絆)を持っている場合が多い、と言っています。「ウィーク・タイズ」とは、趣味の会や同窓会など、たまにしか会わない付き合いですが、これを通じて、従来の世界と異なるところから「こんな仕事もあるけど」と助け船が来ることがあるというのです。

企業を頻繁《ひんぱん》に移り、このような絆をつくれる機会が少ない非正社員だからこそ、意識的に会社の外のさまざまな活動に加わり、個人を核にした多様なネットワークをつくることが重要になってきます。

その応用として、職場に「育ててくれる信頼できる上司」を持ちにくい非正社員も、そんな絆を生かして、社外に勝手に「上司」をつくってしまうこともできます。漫画家兼イラストレーター、ミュージシャンでもあるみうらじゅんさんの『「ない仕事」の作り方』(文春文庫、二〇一八年)によると、みうらさんは一面識もなかったコピーライターの糸井重里さんを、勝手に「自分の上司」と決めて、自らについての資料を大量に送りつけ、事務所に入り浸るうち、糸井さんから新しい仕事の提案をもらうようになったというのです。だれでもできることではないと言えばそうかもしれませんが、必要なものを自前でゼロからつくる、という一つの例です。

嫌な経験も大切に

三つの「溜め」の最後が「精神の溜め」です。人は貧困に陥ったり失業したりしたとき、自分を責め、卑下し、立ち直る気力を失ってしまうことがあります。そのとき、自分は価値のある人間だといった精神の余裕がないと、人に相談して生活を立て直す知恵をひねり出すことさえできません。「非正社員になったのは怠けていたから」などという社会の偏見を、はね返すことが必要です。

そのためには、「嫌な体験」「困ったこと」を大事にしましょう。それは、仕事づくりへの大きなタネでもあるからです。人は大きな不幸に出会うと、なんとか解決したいと願い、解決のために新しい手立てを必死で考え出そうとします。

私の知人で、子育てのために好きな仕事をあきらめざるをえなかった女性がいます。彼女は子育てが一段落してから、自分のような思いをほかの女性たちにさせたくないと、働く女性が子どもを預けやすい条件を備えた保育園を立ち上げました。

また、派遣先で上司から執拗《しつよう》なセクハラにあい、神経を病んで働けなくなり、生活保護を受けるところまで追い詰められた派遣社員の女性もいます。彼女は女性の労働問題に取り組む労組に相談し、その助けを得て、「セクハラは労働災害」と国に認めさせました。労働災害とは、仕事上の災害にあったときに国の雇用保険からお金が支給され、生活を支える仕組みです。「職務遂行のためセクハラ上司と付き合わざるをえなかったことによる精神疾患《しっかん》」は、確かに労働災害です。その後は、職場での性暴力に悩む女性を支えるNPOも立ち上げて活躍し、議会で問題を解決しようと議員にも立候補しています。あまりに理不尽な体験に対する悔しさが、彼女のバネになった例です。

私自身、この本で扱っているような労働問題に関心を持ったのは、自分が働き始めて、出産で不利な扱いを受けるなど、あまりに女性が働きにくい職場環境に直面したことが引き金でした。「あらゆる不幸は飯のタネ」と言っていいでしょう。

特に女性は、働こうとしたときに不愉快なことに出会いやすく、また、非正規になる度合いも男性より高いと言えるでしょう。そうした差別などの不利な状況を、新しい「飯のタネ」に変えていくことは不可能ではないのです。

空気を読まない、「助けて」を言おう

これまで述べてきたことは、会社による社員育てから外されがちな非正社員たちの「一人からの安全ネットづくり」と言っていいでしょう。そのためには「空気を読まない力」または、「空気を読んでも気にしない力」が必要です。

少し前までは、みなが同じ方向を向いていればなんとかなりました。社会が標準とする生き方に収まっていれば、それなりに面倒を見合うことが、暗黙の合意となっていたからです。ただ、「標準」がどんどん崩れているいま、周りを見て合わせることより、自分の実態を直視し、たとえ周囲と違っていても、自分を支えてくれるものを探しあてる力が必要とされているのです。その際に必要なのは、自力で頑張るだけでなく、人の助けを借りる力です。

「空気」を読まず、自分の関心を譲らない頑固さは大事ですが、それだけでなく、たくさんの人を巻き込むことで、「自分の関心」は、仕事として広がっていきます。いいアイデア

なんだけど、自分だけでは実現のための人手や知恵が足りない、ということはありませんか。そのとき、人に「助けて」が言える、それこそが自立です。「助けて」がうまく言えない状態は、自立ではなく孤立です。

最近では、「自己責任でしょ」と、人を突き放す風潮が強まっていますが、自分だけでは負えるはずがない責任を一人でかぶってしまっては、できることもできなくなります。負えない責任を個人にかぶせるような制度を変え、人に助けを求めて人を巻き込む方法を、一生懸命考えてみてください。

非正社員コース　二つの選び方

〈ケース⑦　二〇××年　ひせ子Iの場合〉

中学生だった二〇二〇年、ひせ子の夢は、保育士になることだった。一九七〇年代に生まれた母が短大を卒業したときは就職氷河期で、女性の事務の求人は派遣社員ばかりだった。大手企業の事務を希望していた母は、派遣社員として働き始め、同じ会社の正社員だった父と知り合って結婚した。だが、ひせ子が高校に入った年、父は長時間労働で過労死したため、母はパートをかけ持ちして家計を支えた。

そんな体験をしてきたひせ子は、会社員になって過労死するより、資格をとって専門的な仕事につこうと決意し、保育の専門学校に進んだ。だが三〇年後、企業による人件費削減の動きが猛烈な勢いで進み、保育園でも、園長と副園長以外は全員、最低賃金すれすれで働く非正規保育士になっていた。

契約を何度も更新して一〇年、二〇年と働き続けているベテランもいたが、次の年の契約が更新されないことを恐れ、待遇を改善してほしいと言い出せないでいた。同僚の中には、契約を何度も更新し、通算五年を超えて働いたら期限のない雇用になれる労働契約法があることを聞きつけ、これを活用しようとした人もいる。だが、園長はどこでどう知ったのか、五年を超える直前で次の契約の打ち切りを言い渡し、その同僚は辞めていった。

「正職員との同一労働同一賃金」を求めようとしても、周りはほとんど非正規になり、比べる正職員がいなくなっていた。雇用打ち切りを恐れて、最低賃金を求める運動への参加をためらう人がほとんどになり、最低賃金は上がらず、フルタイムで働いても年収は二〇〇万円程度だった。

中学の同窓会に行くと、同級生たちは、教員や会社員、アニメ制作など、さまざまな分野で活躍しているように見えた。「みんなはいいわねえ」とひせ子が言うと、公立学校の教員になったひせ夫は「僕も一年契約の非正規なんだ」と言った。「公務員や教員なら安定していると思い込んでいたけど、税金が教育費や社会保障に回されないので、保育や教育関係で働く人たちの人件費が抑えられ、非正規が増えたんだって」と言う。

やはり会社員になればよかったのか、とひせ子が後悔し始めていると、大手企業の営業担当社員としてバリバリ働いているように見えたふあ子が、「私なんか、売り上げ次第で賃金が大変動するから、不安な毎日よ」と言った。大手企業の会社のマークが入った肩書付き名刺を持っているので正社員と間違われるが、会社の営業を委託される個人事業主として働いているため、顧客を獲得できない月の収入は五〜六万円程度のこともあるという。

すると、念願のアニメ制作会社に就職して夢をかなえたはずのかろ史が「それなんかいい方だよ」と口を挟んできた。かろ史の会社には月六〇〇時間働いて過労自殺した同僚がいて社会的批判を浴びたことがある。その後、社員を雇うと会社の責任が問われるからと、AI(人工知能)を活用した在宅の自営業者への業務委託に切り替えられていった。これは出来上がった数だけに代金が払われる仕組みで、手間暇をかけていいものをつくろうとすると数が減り、収入が下がる。長時間働いても残業代は出ないし、電気代も光熱費も自分持ちなので、とにかく短時間に数をこなそうと、手抜き仕事になる。

「私たちが中学生のときに四割足らずだった非正社員はいま七割だからね。AIが導入されればだれもが働かずに食べていけると言ったのは、一体どこのだれなの」と、ネット経済専門誌のフリー編集者のふり子はぼやいた。

〈ケース⑧　二〇××年　ひせ子Ⅱの場合〉

中学生だった二〇二〇年、ひせ子の夢は、保育士になることだった。ひせ子は、会社員になるより資格のある専門的な仕事の方が安定した暮らしができそうだと、保育の専門学校に進んだ。

三〇年後、保育園では、希望する保育士は契約期限がない無期雇用の保育士になることができるようになっていた。「スキルのある先生たちに落ち着いて仕事をしてほしい」という親たちの願いを実現する政治家たちが政権につき、通算して五年を超えて働いたら期限のない雇用になれるという労働契約法を活用して、仕事がある限りは基本的にクビを切られず、落ち着いてキャリアを積むことができるようになったからだ。

最低賃金が時給一五〇〇円まで上がり、安い公営住宅が増え、教育費も無償化されたため、週四〇時間フルタイムで働けば、楽に生計は立てられるようになった。

オランダ並みの「労働時間差別の禁止」と「労働時間を働き手が選べる権利」が導入され、短時間労働を希望しても、時給がフルタイムより安くされたりすることはなくなり、自分が働きやすい労働時間や時間帯を選びたいと働く側が希望したとき、会社は合理的な理由がなければ断ることはできなくなった。おかげで子育てや家庭の事情に合わせてパートで働いても、極端な賃金格差にあわずにすむようになった。

中学の同窓会に行くと、同級生たちは、教員や会社員、アニメ制作など、さまざまな分野で活躍していた。公立学校の教員になったひせ夫も「税金が兵器の購入より教育費や社会保障に回されるようになったので、保育や教育関係の人件費が確保できるようになって非正規教員も大幅に減ったんだよ」と言う。

生活関連に税金が使われるようになり、人々は住宅費や教育費、老後の介護費負担に追われて長時間働く必要が減り、給料を消費に回せるようになり、景気も上向いた。

大手企業の営業担当社員として活躍しているふあ子は、「基本給が生活できる水準だから、営業成績で上積みされた分はやりがいになった。極端な長時間労働をしなくても暮らせるし、空いた時間に副業をして、新しい人脈を開拓中なの」と、元気いっぱいだ。

すると、念願のアニメ制作会社に就職したかろ史が「過労死が減ったよね」と口を挟んできた。かろ史の会社には月六〇〇時間働いて過労自殺した同僚がいた。会社はこれを教訓に、質のいい仕事には質のいい働き方をと、AIを利用して作業スピードを速め、労働時間を減らした。「AIが導入されても作品の質を決めるのは人間の知恵だからと、人員削減もされず、落ち着いて制作に取り組める。いろいろなアイデアがわいてくるようになった」と、かろ史は振り返る。こうして良質のアニメがどんどん海外にも輸出され、日本の経済に貢献しているという。

「働く人が働きやすい仕組みづくりが優先されるようになって、中学のときに四割近くだった非正社員が、いま一割。期限のない契約だと、強制的に仕事を打ち切られることが減って、自分が転職したいときに辞められるのがありがたいわ。AIが人件費削減のためでなく、働く人を楽にするために使われたことも大きかった」と、ネット経済専門誌のフリー編集者のふり子は微笑んだ。

2章

ライフスタイルから人生を考える

表1　家族類型別一般世帯の推移　（千世帯，％）

世帯の家族類型	シングル世帯	核家族世帯		
	シングル	夫婦のみ	夫婦と子	ひとり親と子
2005年	14457(29.5)	9625(19.6)	14361(29.8)	4070(8.3)
2010年	16785(32.4)	10244(19.8)	14440(27.9)	4523(8.8)
2015年	18418(34.6)	10718(20.1)	14288(26.9)	4748(8.9)

（総務省『2018年国勢調査――世帯構造等基本集計結果』をもとに作成）

私たちはこれまで、専業主婦と大黒柱、正社員と非正社員、という生き方について考えてきました。

私たちの社会では、「専業主婦」の女性を扶養《ふよう》する「大黒柱」の男性、というパターンこそが「普通」のライフスタイルと考えられてきました。ただ、こうしたライフスタイルは、いまでは多数派とは言えなくなったということは、コース①で紹介した、共働き家庭が専業主婦家庭を上回って増え続けてきた様子を示す図1からも明らかです。

また、家族とは「夫婦と子どもがいる場所」というイメージも、いまの社会では大きく変わってきています。二〇一五年段階で家族の形の中で一番多いのは、ひとり暮らしの家庭(シングル世帯)なのです(表1)。「夫婦と子どもの家庭」は二番目で、「夫婦のみの家庭」や、シングルマザー・シングルファーザーなどの「ひとり親と子どもの家庭」がそのあとに続きます。家族の形が多様化しているのです。

ということで、この章では、「専業主婦＋大黒柱」という形以外のさまざまなライフスタイルに焦点をあて、みなさんが望むライフスタイルを選んだ場合の生き延び方について考えていきましょう。

コース⑤　共働きで生き延びる

一つの家庭で夫と妻の両方が働くのが「共働き」です。いまは、「うちはお母さんも働いているよ」という人の方が多くなっているかもしれません。

コース①で、すでに触れましたが、女性の人権についての意識が高まり、女性も働いて自力で生活していくことが経済的な権利として当たり前になっていったこと、グローバル化やサービス産業化、格差の拡大などによって男性の雇用が不安定化し、男性の「大黒柱」だけでやっていける家族が減っていること、経済のサービス化などが、そうしたことの背景にあります。

このように、共働き化は社会の変化に沿った動きと言えるのですが、問題は、そのライフスタイルを、幸せにつながるものにできるのか、負担を増やすもので終わらせるのか、です。共働きと一口に言っても、その中身は多様だからです。

四つのパターン

働く女性のうち非正規は五割を超し、ボーナスなどを入れた平均年間給与は、国税庁の二〇一九年の調査で見ると、男性五四五万円に対し、女性は二九三万円とその五四％にとどまっています。

女性は出産で辞めざるをえないこともまだ多く、その後に再就職してもパートなどの非正規として働かざるをえない場合が少なくありません。正社員で働き続けても、女性は昇進が遅い場合が多く、ILOの『ジェンダー平等報告書』（「A quantum leap for gender equality: For a better future of work for all」）では、二〇一八年の世界の女性管理職比率二七％に対し、日本は、ゆるやかに上昇しているものの、一二％と主要七カ国（G7）で最下位にとどまっています。また、正社員でも女性の賃金は男性の七割程度です。

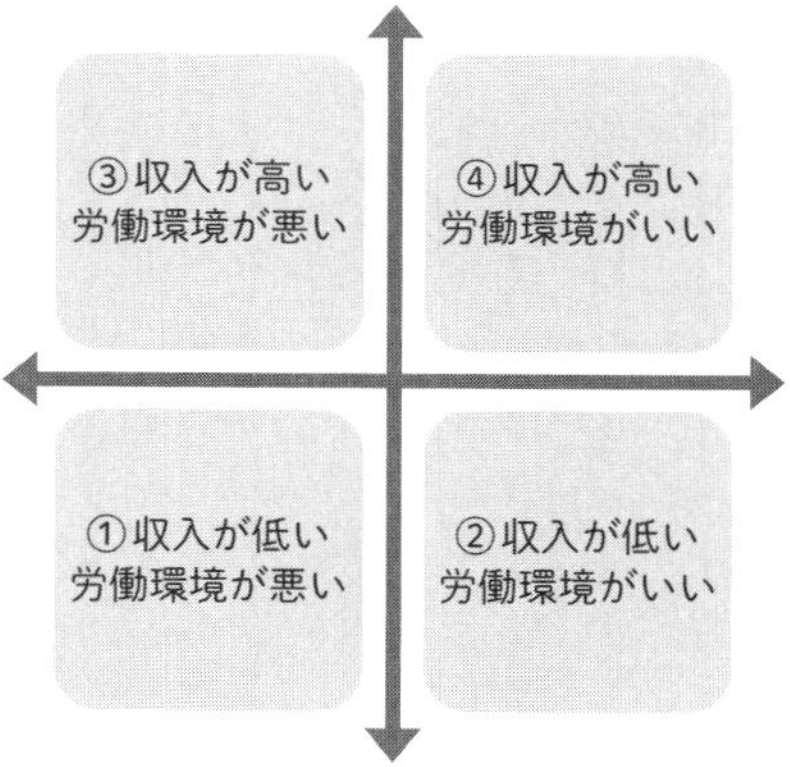

図6　共働きの幸福度をはかる（筆者作成）

このような中で、幸せな共働きか、負担が重い苦しい共働きかは、図6の四つのパターンのどこに妻が位置するかで決まってきます。この図表は、縦軸を収入の度合い、横軸を労働環境のよしあし、つまり働きやすさの度合いとして作成してみました。収入が高くないパートで、労働環境も過酷《かこく》な場合、家族から「大した収入もなく、家事や育児の合間の片手間仕事なのだから、家のことはちゃんとやれ」と非難されたりして、「暗い共働き」になりがちです①。

一方、収入が低くても、家族が協力的で、職場も育児や介護に理解があって、保護者会やPTAへの参加時間などを快く保障し、仕事の中身の評価によって希望すれば正社員になれる、といった労働環境があれば、「明るい共働き」になりやすいわけです②。ただ、その場合は、夫の収入が安定していたり、裕福な実家の支援などがあったりして家計のやりくりに四苦八苦しなくてすむことが、重要な要件になります。

また、③のように賃金が高い仕事でも、職場が長時間労働で過酷な要求が多く、しかも家族がまったく家事育児を分担せずに「妻のくせに」「母親のくせに」と責めるようなことがあれば、あまり幸せでない共働きとなりがちです。しかし、④のように収入が高く、会社の環境もよく、家庭でも妻であり母親でもある女性の働きを評価して家事などを家族が分担する場合は、最強の共働きになります。

また、「子どもにはいつもお母さんがついていないと」という思い込みは社会に根強いですが、共働きのライフスタイルを成功させるには、この部分を自らが転換していくことが大切です。実態を見ると、子育て経験の乏しい若いお母さんが家にこもって孤独に子育てするより、外で働くことで気分転換して英気を養え、保育園でプロの保育士からの助言に支えられて虐待などへの歯止めをかけることができ、子ども同士が互いに遊ぶ場を確保することで、きょうだいの数が少なくても成長の機会を持てる、という面から考えると、母親が働きながら子育てをすることの利点は大きいのです。

つまり、「共働き」というライフスタイルをプラスのものにするには、①女性がその働きを正当に評価され、労働に見合った賃金を受け取れ、②両立しやすい労働環境を企業が提供し、③家庭(夫・子ども)が、妻(母)が働いていることを評価して協力的な対応を取り、④良質で利用可能な価格の保育園など、地域にこれを支援する仕組みがあって安心して働けることが重要です。そのような共働きへともっていく工夫が、共働きで生き延びるために大切なのです。そのためには、どうすればいいでしょうか。

女性の収入を上げる

まず、図6の縦軸である「収入の度合い」から見ていきましょう。

女性の収入が全般に、男性より低めなのは事実です。ただ、出産で仕事をやめて非正規になってしまったりすると、さらに賃金は下がりやすくなり、しかも短期契約なので、不安定化するおそれがあります。日本でもさすがに、正社員と同等の仕事の非正社員には退職金等を導入しようという動きも出ていますので、労働相談を利用して、そうした制度をめいっぱい使うことも、もちろん大切です。ただ、正社員のように、黙っていてもそれらがあるという状態では必ずしもなく、要求したら雇止《やといど》めという例も見受けます。ですから、もし正社員で働く女性なら出産退職はせず、育児休業で仕事をつなぐように頑張ってみてください。

とはいっても、母親社員を排除するような対応をする企業は、なお少なくありません。育休をとって働き続けたいと言ったら、「一年契約の契約社員に切り替えることを了承すれば働き続けてもいい」とか「いったん契約社員になって、子育てが楽になったら正社員にもどればいいんだから」と言って、一年契約の非正規に切り替えられ、一年の期限が終わったら契約打ち切り、といった例を、あちこちで聞きます。こうした口約束は守られないことが多く、訴訟が起きている例もあります。

会社が本当に正社員で働き続けてほしいと思うなら、「いったん契約社員に」などと言う必要はないはずです。そもそも育児休業は、女性が正社員として働き続ける権利を守るためのものです。会社から嫌がらせがあるようでしたら、「マタハラ」として労組や行政の労働相談窓口などに連絡して支援してくれる人や組織を探し、対策を練りましょう。こうした女性を、夫や家族がしっかり支援することが、家族の家計の向上や、生活の安定につながります。

パートなどの非正社員の待遇を引き上げていくための制度改正も大切です。

最近では、ほぼパートスタッフだけで回っている職場もあるように、そうした働き方の人たちが職場の基幹的な役割を担うようにもなっています。みなさんのような学生・生徒のアルバイトスタッフだけで回っている居酒屋などもあるようです。

そんな仕事の重さに見合うような評価の仕組みを導入したり、「最低賃金」という賃金全体の最低価格を引き上げたりすることを通じ、非正規で働く女性の収入水準も引き上げていけば、共働き家庭の暮らしはぐっと楽になります。これまでも述べてきたように、そうした政策を推進する政治家を選んで投票していくことも重要です。

お母さんの家事をみんなで担う

次に、横軸の「働きやすさ」について考えてみましょう。

働く妻の家計への貢献度は、軽視できないものがあります。労働政策研究・研修機構が二〇一六年に実施した「第四回子育て世帯全国調査」では、子どもがいる共働き家庭のうち、正社員の妻がいる家庭は平均収入が九〇二・八万円、妻が非正社員だと六六七・〇万円、専業主婦の家庭は六五七・一万円です。正社員カップルの強さはもう述べましたが、妻が非正社員の家庭でも、「恵まれている」と思われがちな専業主婦家庭より平均収入が高いことがわかります。問題は、にもかかわらず、「家事や育児という務めをちゃんと果たしていない」と家族が責めたりすることです。

家事や育児は、必ずしも「妻」「母親」の務めではありません。家族のだれもが家事などのスキルを磨いて、「妻」「母親」の負担を軽減し、ちゃんと働けるようにすることが、「共働きで生き延びる」ための必須条件なのです。

そのための一歩として、家族全員で家事調査をやってみてはどうでしょう。だれがどんな家事をしているのかを一覧表にして、一週間つけてみるのです。多くの場合、妻・母親に家事は大きく偏っていることがわかってきます。次に調べた家事のうちから、夫・父親や、子どもたちができるもの、やりたいものを選んで、そこについては責任を持って引き受けることで、家族全員に家事負担の重さがわかってきます。これを一歩として、一人ひとりの分担度を増やしていくと、女性は外で働く余裕を増やすことができるようになります。

こうした個人や家庭の努力だけでなく、女性が両立しやすいように一日最大八時間という国際基準の労働時間を守るよう、働き方を変えさせていくことも重要です。これまでの働き方は、コース①に書いたように、家に四六時中女性がいるという、いまでは少数派となったライフスタイルをいまだに前提としているからです。

家事や育児を分担・協力したら，家の中に笑顔が増えるはず

また、女性が家庭で抱え込んできた育児労働などを、たとえば保育園の充実などによって軽くしていくことも大切です。そのためには、数だけでなく、子どもが安心して過ごせる質のいい保育園をつくることです。数をつくっても、そこで子どもの事故が頻発したりすると、母親は預けることを渋るようになり、外で働く足を引っ張ることになります。

もし、「お母さんが働くと子どもがかわいそう」という思いから抜けられない人は、みなさんに近い世代の二〇〜三〇代の働き続ける母親たちにインタビューしてみてはどうでしょう。変化する社会で、働いて子どもを育てることの必要性、楽しさなどプラスの面が、実感を持ってわかってくるはずです。特に男性は、家事や仕事以外の時間の意味をよく考えていただきたいと思います。人はお金を稼ぐために生きているのではなく、生活のために働いているのです。お金を稼いで、それで食材を買い、食べられる形に変換する、家族や地域で人が触れ合って生きる楽しさを実感する、など、無償の活動なしでは人は生きていけません。

それを女性だけのものと片付けるのでなく、男性も一緒に担うことで、社会全体が、そのための時間を確保できる労働時間へと向かうことができるのです。こうして、男女、企業、政治の三つの方面から、女性がもっぱら担っていた無償の活動を、男女共に担える労働時間へと工夫していくこと。それが「共働きで生き延びる」ための必須スキルです。

コース⑥　ひとり親で生き延びる

だれでも可能性が

報道やドラマなどでシングルマザーやシングルファーザーなどの「ひとり親」が注目されることが増えています。「私は結婚して専業主婦になるか、共働き、どちらかのコースに行くつもり。ひとり親は関係ない」と考えている人はいませんか。ただ、ひとり親は、離婚、死別、結婚しないで子どもができた、といった形でたまたま身の上に起きることが多く、「心構えで避けられる」というものではありません。

古い世代には、「離婚はわがまま」という「心構え論」もまだあるようです。ただ、たとえば夫の暴力(DV)に耐えてまで結婚生活を続けていると、母親への暴力を見せつけられたことで子どもが傷ついたりすることもあり、それくらいならひとり親の方がむしろいい、という考え方もあります。また、子どもができてもいろいろな事情で結婚という道を取らず、一人で育てる場合もあります。

つまり、「ひとり親」という固定したライフスタイルがあるわけではなく、共働きや専業主婦からひとり親へとか、ひとり親から共働きや専業主婦へとか、人生は揺れ動くものです。

そう、だれにでもひとり親で生きる可能性はあるということです。

そもそも、「多様なライフスタイル」の社会とは、ライフスタイルが一生のうちでほかのライフスタイルへ切り替わっていく可能性が大きい社会でもあるのです。

ということで、ひとり親を生き延びるために、その長所と危うさを押さえていきましょう。

経済力と支援があればプラスも

私の母はシングルマザーでした。先にも少し書きましたが、私が三歳のときに父が病死しました。母は、姉と兄と私の三人の子どもを抱えて独力で生計を立てることになるわけですが、私たちが比較的ラッキーだったのは、母に薬剤師の資格があって、結婚する前の独身時代から自前で小さな医薬品店を経営していたことでした。そこへ、医薬品メーカーの営業社員だった父がやってきて結婚し、一緒に店を経営することになったのです。つまり母には、結婚する前にすでに経済的基盤があり、結婚後もそれを捨てなかったのです。

もし、父の稼ぎ一本で生計を立てていて、いきなりひとり親になったら、一家は苦境に立ったことでしょう。

そんな母は、私に誇らしげに言っていました。「男性のひとり親は、家事や育児ができなくて、すぐに再婚する。お母さんは女性だから家事の技量もあり、再婚の必要なんかない。だからあなた方は、見ず知らずの男性が父親だと言ってやってきてきゅうくつな思いをしたり、虐待されたりしないですんだ」と。新しい父が嫌な人だったり、虐待したりするとは限らないのでは、という疑問は当然ですが、当時は男性がいま以上に威張っていた時代で、母も、そうした圧力に苦しむことが多かったのでしょう。また、再婚相手の男性が子どもを虐待する例を周囲で見聞きしていたのかもしれません。

さらに母は「お父さんが生きていたら、娘たちが大学に行けたかどうかわからない」とも言うのでした。「女性に学問はいらない」と考える人が、古い世代の男性には少なくなかったからです。つまり、母の指摘で重要なことは、男女平等に否定的な男性と同居し、びくびくして暮らすのでなく、女性が自らの発想で身軽に暮らせるという長所がシングルマザーにはある、ということでしょう。私の育った家の近くには母の親族がおり、下町だったので、ご近所との人間関係もありました。このため母は、この人たちから子育ての支援を受けることができ、それも、このような発言につながったのでしょう。

一方、家事のスキルを蓄える機会がないままきてしまうことが多い男性たちは、シングルファーザーになったときの負担が大きいというわけで、こうした発言は、母子家庭への差別が強かった時代の、母から娘たちへの励ましだったのかもしれません。

ただ、ここから考えると、ひとり親には、男女問わず、経済力、家事のスキルが求められ、さらに子育てを一人でこなすという特徴があり、その意味での自由さがあるということです。同時に、一人でそれらを引き受けるので、手不足になりがちで、家庭外からの十分な支援を調達できればプラスのライフスタイルになりうる、ということになります。

男性であれ女性であれ、配偶者《はいぐうしゃ》がそれぞれ、「男だから威張る」「女だから経済力を極端に求める」といった強い重圧をかけてくるタイプだった場合、ひとり親の方がずっと自由に生きられる、とも言えるでしょう。

生きづらさをつくる男女分業

問題は、これまでの日本社会が「男は仕事、女は家庭」で、一人でこれらの条件を備えることが極めて難しい仕組みが続いていたということです。そのために、母子家庭は経済的自立ができる仕事につきにくく、父子家庭は、「妻がいて長時間労働ができる」正社員の条件を満たしにくくなり、貧困のリスクが高くなりがちなのです。

こうした枠組みの下では、子育てと両立できる労働時間になっておらず、働くと子どもと

表2　母子世帯と父子世帯の状況

	母子世帯	父子世帯
世帯数［推計値］	123.2 万世帯	18.7 万世帯
ひとり親世帯になった理由	離婚 79.5% 死別　8.0%	離婚 75.6% 死別 19.0%
就業状況	81.8%	85.4%
就業者のうち正規の職員・従業員	44.2%	68.2%
同パート・アルバイト等	43.8%	6.4%
平均年間収入 ［母又は父自身の収入］	243 万円	420 万円

（厚生労働省「2016 年度全国ひとり親世帯等調査結果の概要」をもとに作成）

触れ合う時間が確保しにくくなります。また、父である男性が教育費や住宅費を稼ぎ出す役割を担うことが当たり前とされ、これらについての公的な支援が少ないことから、女性は低賃金でも構わないとされ、シングルマザーは教育や住宅という基本的な生存条件を満たしにくくなりがちなのも特徴です。

そうした構造を、厚生労働省の二〇一六年度「全国ひとり親世帯等調査」(表2)から見てみましょう。

ここでは、離婚でひとり親になった率が、母子家庭で七九・五%、父子家庭で七五・六%と、死別を大きく上回っています。また、平均年収が母子世帯二四三万円、父子世帯は四二〇万円です。一般の平均年収は四〇〇万円台ですから、母子家庭の経済的に不利な状態が、ここにも表れています。さらに男性に比べて非正規雇用が女性に多いことも、年収を低くさせています。

しかも「持ち家」に住んでいるのは、母子世帯では三五・〇%、父子世帯では六八・一%で、男女の経済力の差が、住まいの面でも表れているわけです。

このような状況から考えると、ひとり親を生き延びる方法も、ぼんやりと見えてきます。まず、女性は、特に正社員の場合、結婚や出産があっても仕事を簡単にやめないことです。仕事をやめて再就職する場合、非正社員にしかなれないケースがやはり多く、家族を養えるだけの収入が保障されない場合が多くなります。そこで離婚となると、厳しい生活を強いられかねないからです。

とはいっても会社の側の対応は、育休を積極的に取らせる会社も目立っている一方で、コース⑤の「共働き」のところでも述べたように、逆に育休などに厳しくなっている会社もあります。また「正社員をやめてはいけない」と、体を壊すところまで踏ん張ってしまうのは、その後の人生にマイナスになりかねません。過労死となれば致命的です。となると、離婚して経済力が弱いまま、シングルマザーになったときの対応策を考えておく必要があります。

一つは、シングルマザー世帯のためのNPOなどの相談機関に相談し、客観的に自分の置かれた状況をつかむことです。「NPO法人しんぐるまざぁず・ふぉーらむ」などの自助グループ組織はその一つです。男性について言えば、家事などの生活のスキルを普段から磨き、子どもを母親任せにしないで、子育ての力をつけておくことも大切でしょう。

ただ、男女両方に言えることですが、自己責任で稼いだり、家事スキルを磨いたりすることだけでなく、公的な扶助やサービスを洗い出し、めいっぱい利用することも必要です。ひとり親の母親の多くが低収入であるのは、女性は家事をしていればいいとか、低賃金の仕事でもしかたないとして、夫だけに経済的責任をかぶせてきた社会のあり方が原因でもありま

一人ですべてを抱え込まずに，できないことは人やサービス，制度に頼ろう！

す。また、働く女性の五割以上が非正規という状況で、離婚してすぐに経済的自立ができないのは特異なことではないと言ってもいいでしょう。

ひとり親になったとき、男性も経済状況が悪化することが多いですが、これは、妻が家庭にいることを前提にした長時間労働の職場が多く、これを引き受けなければ生活できる収入を稼ぎ出せない働き方に問題があることが多いのです。自己責任や「稼ぐ」ことだけでは乗り越えられない、働き方や社会保障の仕組みの問題があるということです。

行政サービスをフルに利用

そうした窮地に立たされたときの最後の安全ネットと言われるのが、生活保護です。

憲法二五条では「すべて国民は、健康で文化的な最低限度の生活を営む権利を有する。国は、すべての生活部面について、社会福祉、社会保障及び公衆衛生の向上及び増進に努めなければならない」とされ、これを生存権と言います。私たちは、こうした権利を保障されているのです。それにもとづき、頑張っても生活を維持できるだけの収入が得られない立場に立たされたときに支える仕組みとして、生活保護が設けられています。

その申請は行政の窓口で行いますが、その際、必要な人にまで、口実を設けて申請させせないという困った例に出会うことがあります。行政には、申請を受け、条件に適合していれば支給する義務があります。そこで、手法です。申請されて要件を満たしていれば、支給する義務があるので、申請前の水際で止める、という意味で「水際作戦」と呼ばれています。

ですから、不安だったら、申請するときに貧困問題にかかわるNPOなどに相談し、窓口まで専門家やNPOのメンバーに同行してもらう手もあります。

生活保護以外にも、一定以下の年収のひとり親家庭の子どもに対して支給される「児童扶養手当」という制度もあります。子ども一人あたりの支給なので、子どもの数が多ければ、かなりの支えになります。

また、養育費を求める手もあります。未成年の子どもを育てるのに必要な費用(食費、生活費、医療費、学費などについて、子どもを引き取った親に、一方の親が払うもので、離婚調停のときに決めておくのが一般的です。海外にあるような強制取り立ての制度が日本にはないので、払われずに放置されてしまうこともあります。その際は弁護士などの専門家に相談した方がいいでしょう。

こうした直接的な生活費だけでなく、奨学金や保育園の減免制度、電車やバスの割引制度、自立へ向けた職業訓練のための給付金など、ひとり親にはかなりの支援制度があります。

NPOや行政などに相談してさまざまな支援を活用し、負担を軽くしましょう。

日本の奨学金は「貸与型」が多く、返さなくていい「給付型」が少ないのが実情です。そのため「貸与型」の奨学金が後に借金苦を招く場合もあります。「奨学金問題対策全国会議」(https://syogakukin.zenkokukaigi.net/)などの民間団体のホームページで落とし穴を確認したり、ホットラインで相談したりするなどして、一人で抱え込まないようにしましょう。

住宅面では、母子家庭向けとして、公的な母子寮のほか、住民同士が生活面で子育てを支え合う民間の「シェアハウス」も出てきています。母子家庭の母親が住み込みで働けたり、子育てに合わせてシフトを選んで働けたりする仕組みによって、企業側の人手不足解消と母子家庭の就労をマッチさせる取り組みも始まっています。

住み込みは、仕事を失うと住宅も失う危険性があり、住宅を失いたくないために厳しい労働条件でも我慢するというマイナスを生む恐れもあるので注意も必要です。ただ、ひとり親が増加する中で、社会も対応を考え始めたことは明るい変化です。

こうした情報収集をしっかりやって、使える仕組みはフルに生かすとともに、ひとり親が自立して生きられる働き方や、保育園などの整備、相談窓口の充実を、力を合わせて求めていきましょう。

私の母は、ＰＴＡなどに出かけるため、そのつど店を閉めざるをえませんでした。そのおかげで家計は結構ギリギリで、祖父母からの仕送りも受けていました。そんな中でも母は、夏休みの宿題相談などの無償の教育イベントを新聞などで探しては私たちを連れていってくれました。私が母から学んだのは、人は仕事と家庭の両方を担って生きているのだということと、家庭外の人や公的支援などに「頼る」ことが、自立への一歩であるということでした。

いまであれば、ＮＰＯや行政が行っている無料の学習支援、子ども食堂もおおいに利用できるでしょう。ひとり親は、子どもたちに、身をもって、生活と仕事という人間の両面を、生きるための知恵を授けることができるライフスタイルと位置づけることもできるのです。

コース⑦ シングルで生き延びる

コース別生き方の最後を「シングル」で締めくくるのは、この章の最初の表1のように、いま、もっとも多く、これから増えていく可能性も高いライフスタイルはシングル世帯だからです。

みなさんは、若いときはシングルでも、必ず結婚し、その後はずっと家族に囲まれて一生を終える生活が一般的と、漠然と思っていませんか。でも、いまの社会では、生涯通してシングルという人は結構いますし、それ以上に、結婚しても、高齢になると多くが配偶者に先立たれ、シングルになります。二〇一七年の厚生労働省「国民生活基礎調査」では、六五歳以上のシングル世帯は六二七万四〇〇〇世帯で、高齢者世帯の一三二二万三〇〇〇世帯の四七・四%に上ります(図7)。このうち女性は六七・四%を占めるわけですから、これは同時に重要な女性問題でもある、と言えるかもしれません。

にもかかわらず、社会の仕組みは「家族がいること」を基本にできており、シングルには生きにくい部分が少なくありません。また「一人だと孤独な人生」と勝手に決めつけられ、嫌な思いをしたという話も見聞きします。ここでは、そうした「人生最後のライフスタイル」ともなりうるシングルのメリットとリスク、その生き延び方を考えてみましょう。

◉ ひとり暮らしとひとりぼっちは違う

シングルのプラスは、なんといっても自由であることです。なんでも一人で決められ、私生活の時間はすべて自分のものです。

家族が幸せの源泉のように言われがちですが、DVなど、家族が危険の源泉である場合も少なくありません。シングルは、そうしたリスクも避けられます。

マイナスは、生活費を一人で稼がねばならない負担や、病気などの不時の場合に支えになってくれる人が手近なところにいないこと、さらに高齢になると若いときほど体が動か

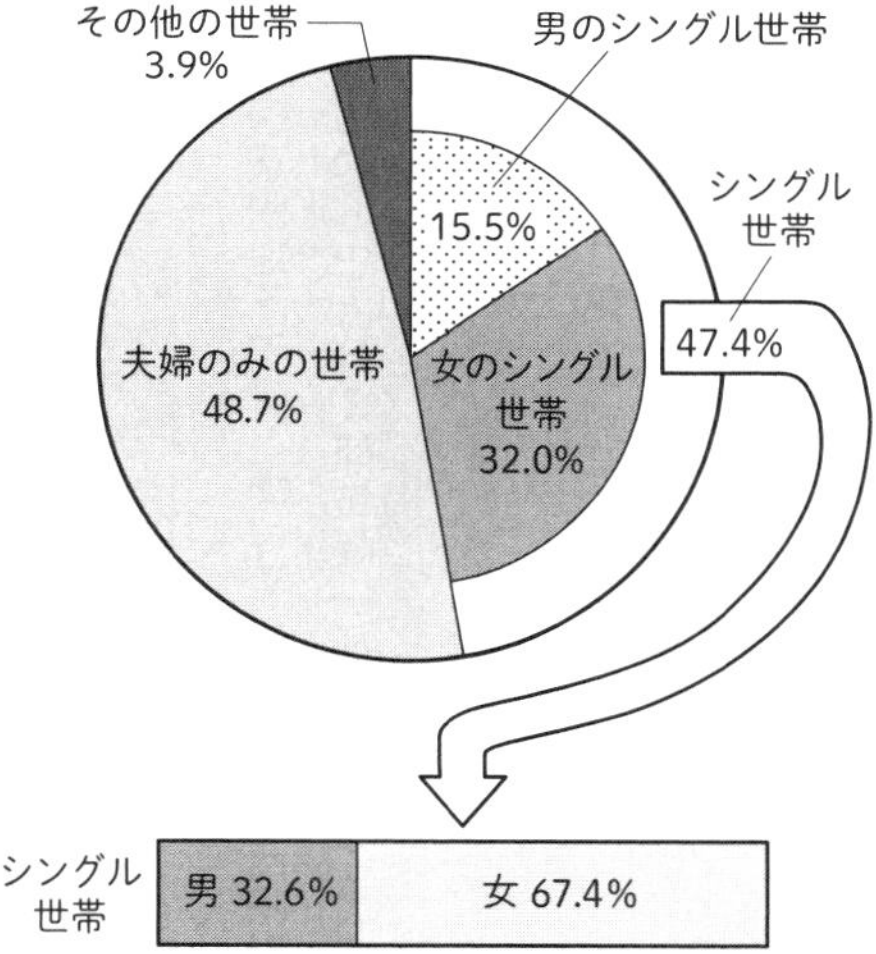

図 7　高齢者世帯の世帯構造(上)と 65 歳以上のシングル世帯の性別構成割合(下)(厚生労働省「2017 年国民生活基礎調査の概況」をもとに作成)

なくなるので、家族外の人々の支援を調達することが必要になります。

参考になるのが、二〇一九年に一〇一歳で亡くなった生活評論家の故吉沢久子さんの言葉です。

吉沢さんとは、取材でおめにかかったことがあります。吉沢さんは一五歳で就職し、働きながら学んで、速記者としても働くうちに評論家の夫と知り合って結婚したそうです。そうした暮らしの中で働くことと両立できる合理的な家事の工夫を編み出して、これを発信し、生活評論家として知られるようになりますが、六六歳で夫と死別し、シングルになります。共働きからシングルへの移行ですね。

そんな吉沢さんの印象的な言葉は「必要な時は人の手を借りるのも大切。ひとり暮らしだけれども、ひとりぼっちではない」(二〇一九年五月一八日付「朝日新聞」)です。シングルとしての一人の時間は、家族がくれた贈り物、と考え、失ったものや不安を数えるより、できることを発見し、大切にすること、と言っているのです。吉沢さんは、生前に、自らの死を伝える手紙を書き、死後、交友のあった人たちに発送するよう親族に頼んでいたそうです。

一人という条件の中で自分ができることをし、必要なら知人や親族、友人の助けを得ること。それが、シングルの極意と言っていいでしょう。

とはいえ、ひょっとしたらみなさんは、高齢者と自分たちとは別の生き物のように考えているかもしれません。でも、高齢者は若者の明日の姿です。最後の日々に実りあるシングル人生を送るためには、家事であれ、仕事であれ、若い頃から「自分でできることは自分でする」習慣を心がけることです。

たとえば、自分の好きなものを自分でつくって食べる権利を「食事権」と言うそうですが、そうした権利を行使するには、食事を自力でつくるスキルをつけておく必要があります。友人との付き合いも、「遊びに行こう」とか「一緒に何かしよう」とか、自分がしたければ自分から誘うことで生まれます。誘ってくれるのを待っていても、他人は誘ってほしいのかどうかわからないのですから、何も起きません。

それらができる力を、いまから、できる限り意識してつけていくことが、「ひとり暮らしだけど、ひとりぼっちじゃないシングル」への一歩です。

シングルを基本にした仕組みづくり

ただ、そうした個人的な努力だけでは足りないのも事実です。何度も述べてきたように、「結婚して夫に食べさせてもらえば女性は低賃金でもいい」「結婚して妻に家事・育児をやってもらい、長時間働け」という仕組みが、社会の隅々にまで張り巡らされ、経済的に自立し、家事もする「シングル的な人間像」を想定しない社会が続いてきたからです。これからはこうしたシングル的な自由な人間像を基本に、シングルが二人、同じ屋根の下で助け合って生きるという家族もありえます。

そうした家族や生き方を支える仕組みがないために、多くの人々が生きづらい生活を余儀なくされています。一九九〇年代半ば以降からの景気の低迷は、新卒から正社員就職ができなかった大量の若者を生み出しました。行政も、こうした人々の就労支援を目指し、当事者同士が励まし合い、情報交換する場づくりなどに乗り出すようになりました。ところが、当初、参加者はほとんど男性でした。「男性が稼いで女性は家事」の社会で、若い女性のシングルは、親元で家事や、祖父母の介護などしていればなんとかなると考えられ、「就職支援の対象」と見てもらえない事態がまだ少なくなかったからです。

外で働けないと、家庭外に居場所や人間関係をつくりにくく、親の死などとともに居場所を失ってしまうことにもなりがちです。退職金や年金も得られず、これがシングル高齢女性の貧困につながることが少なくありません。こうしたことに気づく人が出てきて、行政の中にも、最近では、若い女性のシングルへの支援に乗り出すところも目立っています。

このような仕組みは、男性のシングルも苦しめます。非正規や、低賃金の「名ばかり正社員」が増え、「結婚すると妻に扶養を求められるが、そんな余裕はないので結婚しない方がいい」「結婚したいが、家族を扶養するだけの賃金をもらえる仕事ではない」という若い男性が目立っています。こうした男性シングルにとっても、既婚男性が世帯分の賃金をもらってローンを組んで家を買う、というライフスタイルが当然とされてきた社会は、居心地がいいとは言えません。また、「世帯主」の男性の稼ぎへの依存が当然とされ、「個人」への社会保障や、家賃補助、公営住宅などの整備が遅れてきた社会は、家族という安全ネットを利用できない男女にとって厳しい場所でもあります。

便利に使われるだけでなく，自分の将来もきちんと考えておくことが必要

そうした社会には、もし万一、何かあれば親やきょうだいなど家族に頼ればいい、という暗黙の前提があり、家族が貧しかったり、家族との折り合いが悪くて支援を頼

めなかったりすると、若くても貧困に陥ることになります。また、家族の側も、経済的自立が難しいシングルの娘や息子を抱えて親が苦しんだり、親が亡くなると、比較的余裕のあるきょうだいにその重圧がかかってきたりします。それを「きょうだいリスク」と呼ぶそうです。二〇一六年に刊行されて話題になった本のタイトル(平山亮、古川雅子『きょうだいリスク――無職の弟、非婚の姉の将来は誰がみる?』朝日新書)でもあります。

東京都内に住む高齢男性の老後の貧困について、NHKスペシャルの『老人漂流――〝老後破産〟の現実』(二〇一四年)で紹介していますが、この男性は、若いときは食品会社の正社員でした。独立を志して会社をやめ、飲食店を起業しましたが、店は景気の変動の中で倒産し、事業の借金を抱えて蓄えも失い、シングルを通してきたこの男性は、都内の小さなアパートで、一人で暮らしています。途中で会社を退職したので年金はわずかで、自営業向けの国民年金は暮らしを支えるだけの額ではありません。食費をぎりぎりまで節約し、電気代が払えないため、夏の暑い盛りにはエアコンのある公共施設で過ごさざるをえません。彼を支えたのは、行政です。職員が個別訪問して相談に乗り、生活保護を勧めたことで男性は生計を立てることができたのです。

家族がいてもいなくても、結婚してもしなくても、男性でも女性でも、人間らしく生きていける仕組みは、このように、シングルを支えられる仕組みづくりから始まります。こうした、家族にかかわりなく個人を支える試みとして、最近では地域の住民が集まって運営する「子ども食堂」が注目されています。家庭が低所得であったりして十分にケアを受けられない状況にある子どもたちを受け入れつつ、地域の住民が交流する場所づくりの試みです。地域によっては、一人で路上暮らしをするホームレスの人たちと交流する「夜回り」活動も行われています。たとえば、そうした活動にみなさんも参加してみて、そこでの交流をもとに、シングルから生きられる社会の仕組みの提案や、それを実現する政治家を選んでいく試みなどに参加してみてはどうでしょう。

専業主婦、大黒柱夫、共働き夫婦、ひとり親のだれもが、シングルになりえます。人は、生まれるのは一人だし、死ぬときも一人だからです。ですから、一人からの安心システムをつくっておくことは、すべてのライフスタイルの安心をつくることになります。

多様な働き方　二つのコース

〈ケース⑨　二〇××年　多恵と様介Iの場合〉

多恵は高校を卒業して契約社員として中小企業に就職した。だが、会社は人件費削減のために契約を打ち切り、二〇代で失業した。そのとき、祖母が倒れた。両親とも働いていて介護する人がおらず、「女の子なんだから」と言われ、多恵はなんとなく介護を受け持つことになった。そのまま便利に頼られ、祖母が亡くなったとき、多恵は、まとまった職業経験のない、三〇代シングルとなっていた。

ロスジェネ対策などで、行政の若者向け就職支援センターで、再就職の講座や研修は増えていた。だが、女性のシングルについてのサポートはほとんどなかった。女性は家事手伝いであって「引きこもり」ではないとされていたからだ。

周囲から「家事手伝いも重要な仕事」と言われ、外の人との出会いも少なく、シングルのまま四〇代にさしかかった。その頃、両親が相次いで亡くなった。住んでいた家は借家で、収入も途絶えた。困った多恵に、親戚が、「結婚すればなんとかなる」と、様介との結婚話を持ってきた。

様介は、高校を卒業して就職したが、長時間労働で体を壊し、仕事をやめた。自宅で長く療養状態だったが症状が改善し、親から「とにかく正社員で働いてほしい」と泣きつかれた。求人雑誌で仕事をさがすと「正社員を募集」という飲食店の求人があり、すぐ採用されて半年で店長になった。年収三〇〇万円を保障すると言われていたが、店員はすべてパートとアルバイトで、店員が休むとその穴を埋めるため働かねばならず、一日に二〇時間働く日もあった。年収の三〇〇万円にはこれらの残業が含まれていたのだった。働かせ方がひどすぎて人がすぐやめてしまうので、様介は簡単に採用されたのだった。

こんな働き方では結婚どころではないと二の足を踏んでいたが、「男がいつまでもひとり暮らしをしているのは外聞が悪い」という親戚の強い勧めで、共働きならなんとか生活できるかもしれないと、多恵と結婚した。

娘が生まれ、生活費を補うため、多恵も近所のコンビニでパートとして働き始めた。年収が一定以下だと、「配偶者控除《こうじょ》」として夫の税金が安くなる制度があるため、多恵も、この控除を受けなければと、働きすぎないようにしている。最低賃金ギリギリの時給で保育サービスの料金を払うと家計はマイナスになってしまうので、近くに住む叔母に頼み込んで預けた。しかし叔母に、「長時間は預かれない」と言われ、短時間しか働けなかった。そのため、たいした収入にはならなかった。様介は、長時間労働で家事や育児を分担できず、「家事や育児をちゃんとやったうえで働くのが女性の役割だ」と多恵に言った。多恵が「自分も働いているのにおかしい」と言うと、ＤＶが始まり、二人は離婚した。

多恵はシングルマザーになったが、長く家庭内にいたため、相談できる人がいなかった。一人で頑張らなければと低賃金のパートを三つ掛け持ちして年三〇〇〇時間働き、ようやく年収三〇〇万円を確保した。そして娘を高校にやり卒業させた。しかし大学に進ませる余裕はなかった。それでも娘は年収二〇〇万円程度の契約社員として働くようになり、多恵はようやく長時間労働から抜け出した。だが、交通事故でその娘が急死した。

シングルに戻った多恵は、非正規の仕事の連続だったため貯蓄も年金もなく、いまは細切れの非正規の仕事をつないで暮らしている。様介もいまひとり暮らしで、生活保護を受け始めたと、風の便りに聞いた。テレビでアナウンサーが「内閣府の調査では、六五歳を過ぎても働きたい人が約八割」と元気よく語っていた。それを見ながら、多恵はつぶやいた。

「働くしかないからね。共働き、ひとり親と、多様な生き方を強いられて、その結果がこれだ」

多恵は高校を卒業して契約社員として中小企業に就職した。会社は人件費削減のために契約を打ち切り、二〇代で失業した。そのとき、祖母が倒れた。両親とも働いており、多恵は自分が介護すべきかと迷った。だが両親は、女性も経済的に自立していないと将来困るかもしれないと、最近増えてきたシングル女性のための自立支援サポートセンターで相談するよう勧めた。

祖母については行政に相談し、公的な介護ヘルパーを利用するよう助言された。高齢化が進むにつれ、防衛費や公共事業より社会保障に税が使われるようになり、良質なヘルパーが利用しやすくなった。また、残業の削減や、働き手が生活に合わせて労働時間を選べる権利が法律になり、介護に合わせて働く時間を選べるようになっていた。両親はこれらのサービスを生かして祖母を介護しながら仕事を続け、多恵はサポートセンターの助言をもとに職業訓練を受け、看護師の資格を取って働き始めた。

様介は、高校を卒業して就職した。最低賃金が引き上げられ、安くて質のいいシングル用の公的住宅が増えたため生活にかかる経費が下がり、どのような仕事でも、フルタイムで働けば経済的自立ができるようになっていた。

ただ、祖父母からはいまだに、「男がいつまでもひとり暮らしでは」と言われ続け、うんざりしていた様介は、そうした考え方がどこから生まれたのか、シングルでも生きやすい社会制度とは何かについて勉強したいと大学に入学した。教育機関の授業料無償化が実現しており、それまで働いてためた資金で四年間はもちそうだったからだ。

様介はそこで、よりよい看護のために、もっと専門的に勉強したいと入学してきた多恵と知り合い、同居を始めた。

様介は大学で学ぶうち、昔は、夫が妻を養うことが当然とされ、一定以下の収入しかない妻がいる夫は税が軽減される「配偶者控除」というものがあったことを知った。「だから妻は、その範囲を超えないように働くことを制限していたんだって」と様介が言うと、多恵は「そんなことしたら、離婚したときに自活できる収入が持てなくなるじゃない」と目を丸くした。「まあ、女性は食べるために離婚するのを我慢していたんだろうね」と様介は考え込んだ。

「私のおばあさんは、結婚したら仕事をやめていたし、お母さんは、働いていても家事と両方やらなくてはいけなくて働くのが嫌になったと言っていたわ」と多恵に聞き、それぞれが結婚と関係なく経済的に自立できるいまの仕組みに二人は感謝した。

多恵は、小児病棟で子どもと接して、子どもとすごす楽しさを知った。子どもを産むと、女性がいろいろなことを我慢しなければならなかった時代ではなくなったいま、子どもを持とうと決めた。子ども一人ひとりに手当がつき、長時間労働をして収入を増やす必要がなくなったため、育児をゆっくり楽しむことができた。やがて、看護師として自分の時間をもつと看護の研究に使いたいという多恵の希望で、様介が子どもを引き取り、しばらく別居することになった。もともと子育ては分担していたが、それを機に様介はひとり親の会に参加して、シングルファーザー同士の子育ての助け合いを楽しむようになった。

子どもたちが独立すると多恵と様介は、こうしたさまざまな分野の友人たちと老若取り交ぜて共同で暮らす「シェアハウス」を立ち上げることにした。家族だけでこもるのでなく、いろいろな人たちと地域で暮らす安心感を味わいたかった。子どもたちは海外で働くようになったが、こうした支え合いで、生活には不自由しなかった。体が動かなくなったときにケアが受けられる施設も増え、多恵と様介は「いざとなったらこの施設へ」と共同生活をする仲間たちに頼んでいた。

「家族依存でなく、シングルでも自立して生きていける仕組みがあってこそ、だれもがなんとかやっていける。そうした仕組みがない時代は、私たちみたいに自分に合わせて多様なライフスタイルを選ぶなんてできなかったのよね」と多恵はしみじみつぶやいた。

コース⑧　振り回されずに生き延びる

これまで、さまざまなライフスタイルの特性や選び方について説明してきました。最終コースは、これらをタテに貫く重要なカギについて考えていきましょう。それは「他人の思惑《おもわく》に振り回されない」ということです。

その土台となるのが、「セルフ・エスティーム」です。米国のフェミニスト、グロリア・スタイネムが一九九〇年代に広めた考え方ですが、セルフ・エスティームを日本語に直訳すれば「自尊心」「自分を尊重すること」でしょう。こうした言葉は、日本社会では単なる自己中心主義や傲慢と混同されがちです。ただ最近はスタイネムの使い方に沿って自己肯定感とか、自尊感情とか表現されて、日本でも定着しています。みなさんが多様なライフスタイルの中からどれを選ぼうと、この考え方を基本にしていれば、なんとかやっていけるはずです。

あるがままの自分を受け入れる

スタイネムは、自尊心には、二種類あると言っています。一つは、自分はこれができる、といった能力にかかわるものです。もう一つは、何かができなくても、自分は存在するだけで価値がある、と思えることです。重要なのは、後の方の自尊心で、セルフ・エスティームとは主に、こちらを指していると言えます。

障がい者が大量に犠牲になった二〇一六年の「津久井やまゆり園事件」で、被告は、「しゃべれるかどうか」を確認し、しゃべれない人は生きている価値がないとして殺す、という選択をしていたと報じられています。「何かができる」ことだけを基準にしていると、こうした事態が起きます。遺族の方々が話しているように、「その子がいるだけでよかった」という人間観が、私たちを幸せにしてくれるのです。

セルフ・エスティームを高めるには、まず自分を大切にすることです。「私って本当にダメな人間だな」と思うことはだれでもあります。でも、そんな私でも、生きていていいんだ、価値があるんだ、と思えるようになることです。フェミニストの田中美津さんの著書『かけがえのない、大したことのない私』(インパクト出版会、二〇〇五年)のタイトルは、まさにそのことを表しています。

こうして、自分を大切にできるようになると、他人についても「大したことない」かもしれない、「でもかけがえのない人」と、思えるようになります。

大事なのは，自分らしく輝くこと

私は、人はみな「希少絶滅《ぜつめつ》危《き》惧《ぐ》種《しゅ》」だと感じています。本来は環境の変化などによって絶滅のおそれのある動物のことですが、人もまた、その人だけが持つ体験や記憶や能力を抱えて生きています。でも、死んでしまえば、そうした貴重なものはみな消滅します。人間は必ずいつかは死ぬ、つまり絶滅してしまう運命です。そうした意味で、一人ひとりは希少な絶滅危惧種であり、だからこそ、生きている間に大切にし合わなければいけないと思うのです。

そんな風に思うと、目の前にいる人が、いとおしくなりませんか。

こうして、「大したことないけど、かけがえのない自分」を考えられるようになると、他人との比較でなく、自分なりの成長が楽しくなり、他人の異なる意見にも耳を傾けることができるようになります。そして自分を軸に物事の優先順位を付けられるようになり、その結果、自分で決められるようになります。

人はいろいろ言うけれど、かけがえのない自分が考えた優先順位を大切にして、それをもとに物事を判断していいんだ、と感じられるようになるのです。

人をうらやんだり、自分にないものをやたらに欲しがったり、意地悪したくなったり、という気持ちはだれにでもあります。セルフ・エスティームに立ち返ると、そうした気持ちを吹っ切ることができます。そのうえで、いま自分が持っているプラスのものを並べてみましょう。それをどう組み合わせて、生き抜いていけるか。セルフ・エスティームが自分の中にあれば、やってくる困難を乗り切れるはずです。

仕事に振り回されない

こうしたセルフ・エスティームを土台にした働き方が、「ディーセント・ワーク」です。ディーセントは「まともな」「ちゃんとした」「気の利いた」という意味の英語です。つまり、人間らしい働き方のことなんですね。

この言葉は、一九九九年のＩＬＯ総会に提出されたファン・ソマビア事務局長(当時)の報告で初めて用いられ、次のように説明されています。

ディーセント・ワークとは、権利が保障され、十分な収入を生み出し、適切な社会的保護が与えられる生産的な仕事を意味します。それはまた、全ての人が収入を得るのに十分な仕事があることです。

（ILO駐日事務所ホームページから）

まずは仕事があること、その仕事は、権利・社会保障・社会対話が確保されていて、自由と平等が保障され、働く人々の生活が安定するものを目指すべきだ、というわけです。加えて、これらの目標すべてを貫く目標として、「ジェンダー平等」がうたわれています。

不安定で低賃金の非正規労働の蔓延《まんえん》が貧困を招く、ということは理解されてきましたが、日本でも、その七割近くは女性です。「男女平等」はこうした貧困を解決する一つの重要なカギなのです。これまでは、そうした「男女平等」の部分が置き去りにされ、穴のあいたバケツで水をくむような対策になってしまっていたことに、やっと人々が気づき始めたということでしょう。

世界の話はここまでにして、私たちの身近な生活に戻りましょう。

一日はだれにとっても二四時間です。最近は五時間くらいしか眠らないと自慢する人も見かけますが、健康な体を維持するには六〜八時間は眠る必要があると言われています。また、よい睡眠は、「さあ、寝よう」といって寝ればとれるわけではありません。八時間は、家庭や社会での私的な活動にあてることで、働いて疲れた肉体の興奮を落ちつかせ、よく眠れる条件をつくることが必要なのです。

また、人が持続可能に、人らしく生きていくには、家族や友人、地域の人々と付き合う時間も欠かせません。家族や友人との会話の時間は、体調をよくします。それ以上に、人間は社会の中での交流を通じて自分を自分だと認識できる存在(つまり社会的な存在)なので、親しい人との交流がないと、自分が存在していないかのような感覚になってしまいます。

もちろん、自分の体を保つための家事や入浴、子どもを育てるという次世代の育成の時間も、持続可能な生き方には欠かせません。

一九〇八年三月八日、前年に始まった米国発の国際的な恐慌の中、ニューヨークで一万五〇〇〇人の女性が労働時間の短縮、賃上げ、選挙権、育児労働の廃止を訴えてデモ行進しました。そのときのスローガンは「パン(安定した生活を送れるための働く条件)とバラ(食べるだけでなく、人が人らしく生きられる生活の質の向上)」でした。一日八時間労働を基準とする考え方は、こうした考え方から導き出されています。「一日八時間」が一九世紀以来、労働運動の主要なスローガンとなり、ＩＬＯ条約が第１号でこれを規定しているのは、それが人間らしく生きるための最低限の権利と言ってもいいからです。

これらの働くルールは、二つの世界大戦で、日本も含め世界中の人々が殺し合い、大量の死者を出したことへの真剣な反省からきています。人間が、人間らしい幸せを感じられる働き方ができず、食べるためだけに二四時間働き続けるしかなく、低賃金で貧困化していくと、人は他人の幸せを素直に喜ぶことができなくなります。嫉妬したり、他人を貶《おとし》めたりすることで自分を引き上げようとしたりして、セルフ・エスティームを失ってしまうのです。

それが高じると、捨て鉢になって「自分はこんなに不幸なんだから人も不幸にしてやりたい、戦争で殺されることくらいなんだ」という気分が社会を覆っていきます。それが世界大戦の引き金をひいたという見方もあります。大戦後には、これらへの反省から、みながまともに働けて幸せになれる社会をつくろうという気運が高まり、第一次大戦後に生まれたＩＬＯ憲章の前文は、そうした決意があふれたものになりました。少し長くなりますが、ＩＬＯ駐日事務所のホームページから引用してみます。

世界の永続する平和は、社会正義を基礎としてのみ確立することができるから、

そして、世界の平和及び協調が危くされるほど大きな社会不安を起こすような不正、困苦及び窮乏を多数の人民にもたらす労働条件が存在し、且つ、これらの労働条件を、たとえば、一日及び一週の最長労働時間の設定を含む労働時間の規制、労働力供給の調整、失業の防止、妥当な生活賃金の支給、雇用から生ずる疾病《しっぺい》・疾患《しっかん》・負傷に対する労働者の保護、児童・年少者・婦人の保護、老年及び廃疾に対する給付、自国以外の国において使用される場合における労働者の利益の保護、同一価値の労働に対する同一報酬の原則の承認、結社の自由の原則の承認、職業的及び技術的教育の組織並びに他の措置によって改善することが急務であるから、

また、いずれかの国が人道的な労働条件を採用しないことは、自国における労働条件の改善を希望する他の国の障害となるから、

締約国は、正義及び人道の感情と世界の恒久平和を確保する希望とに促されて、且つ、この前文に掲げた目的を達成するために、次の国際労働機関憲章に同意する。

ところが、日本で若い人と話をしていて、「ディーセント・ワーク」という言葉を知って

いる人はめったにいません。日本の働き方には、ディーセント・ワークという発想法がない、といったら言い過ぎかもしれませんが、この働いて生きるうえで基本となる考え方を教えてもらったことがない若い人がほとんどなのです。

大人たちが若い人に言うことといったら、「死ぬ気で頑張れ」「頑張らない人間は自業自得」「一日八時間労働なんて甘いことを言っているから競争に取り残される」なんていうことばかりのように見えます。そこまでではなくても、「働く時間くらいルールなんかつくらなくても自己責任で自由に選べるようにすべきだ」などという声もあります。

ただ、こうしたことを言える大人たちの多くは、会社の社長さんだったり、偉い専門家の人だったりして、生きがいのある仕事に恵まれ、自分で働く時間を決めることができる立場にある人たちです。新聞記者として、さまざまな働く人に会ってきた私には、物事はそんなに簡単ではないことが身にしみてわかります。

新聞社には働く人たちから、いろいろな電話がかかってきます。過労死について記事を書いたら、「長時間働かされて寝る時間もなく、体を壊しそうだ」という電話が、商店の店員だという男性からかかってきたこともありました。「労働基準監督署とか、労組やNPOの労働相談とかにまず相談してみたら」と伝えると、彼は悲鳴のように言い返しました。「そんな時間がないから困っているんじゃないか。この電話だって店の物陰から経営者に見えないようにして、やっとかけているんだ」

仕事を変えようにも、仕事を探しにいく時間もないのです。こうした人たちのために、労働時間は一日八時間まで、違反したら罰則もありますよ、という労働基準法があるわけですが、この法律は残業の規制がゆるく、日本はＩＬＯ第１号条約という基本的な条約さえも批准できていません。

私たちは、人間らしく生きることなどぜいたくで、死ぬ気で働き、お金を稼いで国に迷惑をかけないことが正しい庶民の生き方なんだ、と奇妙な刷り込みをされ続けてきたと言っていいかもしれません。仕事に振り回されず、仕事を「自分の人生のため」と位置づけてライフスタイル選びをするには、こうした刷り込みを取り外していくことが必須です。

お金に振り回されない

人間らしく働くことの方法が、なぜ「お金」から始まるのでしょうか。理由は簡単です。私たちの社会が貨幣経済によって動いているからです。

お金を尊ぶ人は多いですが、お金は、お金自体に価値があるわけではありません。お金は、これを通して活動を支える食べ物や、寒さを防ぐ衣料・住宅、病気を治すための医療など、いろいろなものを調達することが、本来の役割です。

たとえばみなさんが、畑を耕してキャベツをつくるとします。でも、キャベツだけでは食事になりません。お米や小麦を手にいれてご飯やパンも食べたいし、肉や魚も食べないと体がもたないですよね。でも、キャベツを持っていってお米をください、と言っても、キャベツがすごくほしい人以外は相手にしてくれないでしょう。キャベツをお金にかえれば、そのお金はいろいろなものと交換できる仕組みなので、みなさんはキャベツを売って、お金を得ようとします。

だから、人々はお金を珍重するわけで、ただお金を持っているだけなら生存できません。

ところが、そのことはしばしば忘れられ、みなお金を持つためだけに、必死で働くようになります。働いて死んでしまっては本末転倒なのですが、お金がないと大変だと思うあまり、死ぬような働き方を命令されても断るのが難しい気持ちになるのです。

お金は、人間が人間として生きるための手段にすぎないと自覚すること。お金を崇拝するあまりに生活を犠牲にしないようにすること。それがディーセント・ワークへの第一歩です。

とはいえ、お金がないばかりに医者にかかれなかったり、食べ物を十分に買えなかったりするのも現実です。そこで、私たちには二つの選択があります。

一つは、時間あたりの賃金が割高の仕事を選んだり、そうした仕事をつくり出したりすることで働く時間を短くし、働いて得たお金を人間らしい暮らしに変えることができる気持ちの余裕と時間を生み出すことです。

もう一つは、かかるお金そのものが少なくて済む社会をつくることです。たとえば、政府が税金を集めて、それで医療や教育をただにしたり、安くて住みやすい公共住宅をつくったりすれば、私たちが生活にかけなくてはならないお金は少なくて済みます。

その代わり、税金はたくさん取られます。ただ、税金は「累進課税《るいしん》」といって、お金をたくさんもうけた人ほど高い税を取られる仕組みとすることで、その分を補うことができます。

え？　それはお金持ちに不公平でしょ、という人もいるかもしれませんね。

でも、仮に、一億円の年収があるAさんと、二〇〇〇万円の年収のBさんがいて、Aさんが五〇％の税金を取られ、Bさんが一〇％の税金を取られたとします。Aさんはそれでも五〇〇〇万円の生活費が残ります。Bさんは、一八〇〇万円の生活費です。五〇〇〇万円なんて、一年では使いきれませんよね。一方、Bさんは一カ月を一五万円で暮らさなければなりません。

Bさんは一五万円のうちから、七万円の家賃を払い、残った八万円から食費も、子どもの教育費も、払わなければならないのです。

でも、Aさんが払った税金で、Bさんが仮に二万円で質のいい公営住宅に入ることができ、教育費や医療費もただになったら、Bさんが自由に使えるお金は一三万円に増えて、ずっとゆとりのある人生を送ることができます。

こうした仕組みを目指したのが「累進課税」ですが、日本では一九八〇年代以降、その率が下げられて高所得の人の税が軽くなり、Bさんのような人の負担の方がどんどん重くなる傾向が指摘されています。

しかも、低賃金の非正規労働者が四割近くにも増えたことなどから、Bさんのような年収二〇〇万円以下の人は一〇〇〇万人(二〇一八年時点)を超しています。これだけの人たちがディーセントに暮らせるために、時間あたりの賃金が高い働き方をもっと増やすこと、基本的な費用は税金で負担することで基礎的な生活費用を減らし、働き詰めに働かなくてもなんとかなる仕組みをつくること。この二つがいま、ポイントになっているのです。

私が大学で教えているとき、学生の一人から、「非正規は大変とか言いますが、時給が八〇〇円でも一日一三時間、週七日働けば三〇万円近く稼げるから問題ないですよ」と言われました。それは、生活のすべてが労働時間でもかまわないという発想が前提にあるためです。でも、これで健康はもつでしょうか。健康以前に、働いて寝るだけでは、稼いだお金を人間らしい暮らしに役立てる、という本来のお金の役割からも外れてしまいます。まさに、「お金に振り回されている」考え方です。

だからこそ、就活《しゅうかつ》で会社を探すときも、何時間働いてその月給なのか、時給にしたらどれくらいか、業界の中ではそれは高いのか低いのかを、求人票や先輩訪問などを手がかりに確認していくことが必要になります。

そうした個人的な努力だけでなく、私たちが払っている税金がそうしたディーセントな働き方・生き方につながるように使われているかを監視していくことも非常に大事なことです。

◎恋愛に振り回されない

次が、恋愛への向き合い方です。

恋愛は心の中の問題、個人の勝手でしょ、と疑問に感じる人は少なくないでしょう。ただ、どのような恋愛観を持っているかで、振り回され度は大きく違ってきます。

たとえば、恋愛はとにかく相手に尽くすものとか、逆に、好きだからすべて自分のものにしたい、自分の思うままにふるまってほしい、などという恋愛観の人は要注意です。

いま大きな問題となっているDVは、このような恋愛観をもとに、夫婦や恋人などに対し、「愛しているから」と全人的に支配しようとし、身体的・精神的な暴力、ときには生活費を渡さないという経済的暴力などを通じて相手を無力化して支配しようとする行為です。最近では「デートDV」と言って、若い世代の間でも、彼氏や彼女を過剰に拘束しようとしたり、支配しようとしたりする行為が問題になっています。

こういう行為は、実はディーセントな働き方も妨げます。まず、女性に対し、愛しているから仕事を辞めてほしいという男性は、結婚後、一人で家族全員を扶養するという無理を負わざるをえません。何度も述べているように、そうした労働条件を保障できるような大きな経済成長が、簡単には期待できなくなりつつあるいま、これは大変なリスクです。

逆に、「男性なんだから扶養して当たり前」という女性の側の過剰な要求も、このような経済状況下では暴力になることがあります。「扶養できる男性こそ素敵な男性」といった固定観念を転換できないでいると、二人で働けば得られるかもしれない経済的安定が、損なわれてしまいかねません。

また、若いときは、モテる、モテない、を自分の価値の証のように考えて悩むことも多いでしょう。でも、恋愛は自分の価値をつけるためのものではありません。何人にモテようが、「いいなあ」と思い、共感できる人がいなければ、疲れるだけです。

美人やイケメンだったら恋愛に成功するのに、と思うことはだれでもありますが、これまで説明してきた恋愛観からすると、それもあまり本質的な問題ではありません。まわりを見てください。美人とイケメンしか付き合っていませんか？　結婚するのは美人とイケメンだけですか？　顔がいいかどうかは関係ありません。重要なことは病めるときもすこやかなときも居心地がいい関係をつくれるかどうか、だけです。

また、恋愛は、自分の勝手な理想を実現するための支配や、自分を無にして懸命に我慢することではありません。「いいな」と思った人について、相手の話にじっくり耳を傾け、同じ弱い人間としてのいいところを発見し合い、思いやりを持って互いの状況を見極め合うこと、それを通じて、等身大のいい関係をつくっていくことです。

とすれば、関係が築けていない一方的な「片思い」は妄想かもしれません。相手が嫌がっているのにつけ回す「ストーキング」が恋愛ではないのはもちろんです。

彼氏や彼女ができないと悩んでいる人は、「イケメンの白馬の王子さま」や「絶世の美少女」との出会いを待ち続けることをやめてみましょう。身近なところにいる友人のいいところを探して、いろいろなことを話し合ってみたり、共通の趣味があれば一緒に何かをしてみたり、趣味が違えば互いの趣味を体験し合ってみたりするところから始めてみてはどうでしょう。そうしたスキルを身に着ける努力は、将来、持続可能に一緒に働き、生活するパートナーを見つけるためのトレーニングにもなるはずです。

人の評価に振り回されない

持続可能に、かつ、満足感を持って働き、生きるための重要なスキルとしては、人の評価に振り回されないこともあります。

人の評価を気にしないということは意外と難しいです。なぜなら人間は、社会から評価されることで自分を確認していく「社会的な存在」だからです。でも、評価を気にしすぎることは苦しいことです。評価はしょせん人がするもので、自分ではコントロールできないため、自分の責任ではないことで苦しまなければならないからです。

それならどうすればいいのか。まずは、普通の日々の中で、自分の内側から湧き起こってくる楽しい気持ちを意識してみることです。

小さなことですが、たとえば、朝、小鳥の声に耳を澄ませながら、今日の朝ご飯はおいしいな、と深呼吸すると、内側からエネルギーがよみがえってくるような気がしませんか。この感覚は、他人の評価とは無関係の、自分がいま生きていることの喜びに根差したものです。こうして、自分には喜びを感じられる瞬間があるということを意識してみてください。それが、あなたの「価値」です。それがあると、他人の評価に押しつぶされて死にたくなってしまうような気持ちを、内側から押し返しやすくなります。

「自分なんか恋愛できるような人間ではない、恋愛の最下位カーストだ」なんて、もし感じることがあったら、自分の中をもう一度見つめなおし、「でも生きていることを、ちょっとでも楽しい、と感じられる自分はすごい、仮に愛されないことがあっても、自分は人を愛する存在になれる」とつぶやいてみてください。

「自分の価値は自分で決める」というのは、働くうえでも恋愛のうえでも、他人の言いなりにならずに生きるための最初の一歩です。ただそれは、人がなんと言おうと関係ない、ということではありません。自分には、自分なりの生きている楽しみや理由がある、と確認することです。

自分の価値に自信が持てないとき、よくやってしまうのが、陰口などで人の足を引っ張ったりすることです。いま、働いている人は長時間労働や無理な目標達成などで、学校に通っている人は、人間関係や学校からの過重な要求などにより、かなり疲れています。そのため、自分の自信を回復しようと、ＳＮＳなどで少し恵まれているように見える人たちの悪口を言ったりして貶め、相対的に上がった気分を得ようとします。

ただ、それをやっても自分を嫌いになるだけで、実はあまりいい効果はありません。そればかりか、働く条件を改善しようと声を上げた人たちに、「みんな我慢しているのにわがままだ」といった非難を浴びせると、「それなら全体を下げよう」などということになり、むしろ自分の働く条件が改善されにくくなるなど、社会的にもマイナスを引き起こすことがあります。

そんなときのおまじないの言葉は「人を落とすより自分を上げろ」です。一条ゆかりさんの『プライド』(集英社)という漫画は、自分のプライドにこだわる女性と、自分の尊厳を実感できない女性という二人の対極にあるヒロインを対比する中で、人が自分を大切にすることの意味を描き出しています。その中に登場する人生経験豊かな大人の女性の言葉として登場するのが「……人を落とすんじゃなくて自分が上がるのよ」という台詞です。

「自分を上げる」は、ちょっと難しく感じるかもしれません。でも、他人がうらやましいと思ったら、部屋に花を飾って居心地よくする、とか、語学の勉強をするとか、自分なりの目標を立ててみるとか、自分が少しでもいい状態になることを目指して、なんでもいいからやってみてください。その小さな達成によって自分が引き上げられた感じを味わえ、他人を落とそうという気持ちが後退します。

いいわね
人を落とすんじゃなくて
自分が上がるのよ
わかった
行ってきます

© 一条ゆかり／集英社

もう一つ、「正しくと同時に、楽しく生きる」ことを目指してみるのも重要です。

正しく生きることは、とても大切なことですが、正義は実は多様です。正しさだけにこだわると、周囲が見えなくなってしまうことがあります。困った例では、ネットでの情報をうのみにして、「正義を実現する」として間違ったバッシングをし、結果として重大な人権侵害になってしまった事件があります。

一方、「これをやったら楽しい」というものには、「楽しいことをしたい」という協力者が集まってきます。苦しい顔をしていると、人はなかなかやってきません。物事をスムーズに進めるには楽しくできるアプローチを探してみることです。

特に最近では、「自己肯定感」「ディーセント・ワーク」の言葉の普及につれ、会社から「ディーセント・ワークができる社員になれ」とか、親から「自己肯定感のある子になれ」とか言われることもあるようです。日本社会は、個人の解放のための言葉が、力のある者からの押し付けという本末転倒になりやすいので、その面からも「楽しいかどうか」から考えてみることは大切です。

ディーセント・ワーク　二つの選び方

〈ケース⑪　二〇××年　適子と度一郎Ⅰの場合〉

適子の夫、度一郎は憂鬱な顔で会社から帰宅した。「会社がディーセント・ワークとかいうものを促進するんだって。適度な働き方という意味らしい。だから、今日から早く帰宅しろと言うんだ」とため息をつきながら言った。続けて「だけど、仕事の量は相変わらず多いし、持ち帰り残業するしかないよね。今夜は夕食後に残りの仕事を片付けるから、徹夜になるな」とも。

「私もよ」と返事をした適子も暗い顔をし、「子育てと両立できるように女性は在宅ワークをしろと言うの。でも、子どもの面倒を見ながら働くなんて、集中できない。在宅ワークじゃ光熱費も会社じゃなくて自分持ちよね」と言った。

適子の友人は、「だれもが働ける社会に」といううたい文句の下で、「家事の合間にできるクラウドワーク」を始めた。家事の合間にできるのはうれしいと思ったが、ネットで仕事のひきうけ手を募集する仕組みなので、仕事がこなくなったら収入はゼロになった。

「持ち帰りやサービス残業になるくらいなら、仕事の量を減らせば？」と適子が言うと、度一郎は、「会社の評価が下がるからなあ」と浮かない顔になった。度一郎は、去年の同窓会では一流会社に入ってスゴイ！と同級生たちに羨ましがられ、もっと昇進して元同級生たちに年収二〇〇〇万円を誇りたい、エリートのすごさを見せつけたい、と思っていたからだ。「ディーセント・ワーク」を掲げる会社の方針に即しつつ、いくらでも仕事をこなせるのが優秀な社員だからね」と、度一郎はサービス残業を続けた。

「そうよね、子どもたちを有名な私立一貫学校に入れられるくらい稼げる夫でないと、友だちにも自慢できないし」と適子も調子を合わせた。

度一郎は、「これからのできる社員はディーセントなワークライフバランスだよ」と、夕方にはオフィスを出て、家庭でも働き、通算して月一〇〇時間を超える残業が続き、一カ月後に脳の血管が切れて亡くなった。月一〇〇時間の残業は過労死に認定される労働時間であることを、適子はそのとき知った。その頃、収入に見合わない高い学費を出し続けた家計は赤字になっており、ローンが残っている自宅を売らざるをえなかった。働きすぎによる死亡として労災申請をした。だが、会社での労働時間は週四〇時間ぴったりで、会社の方針に沿おうと家庭での労働時間の記録を残していなかったため、証拠がなく、申請は却下された。

「度一郎君はディーセント・ワークの旗手のような社員と思っていたが、惜しかったね。家庭での自己管理もちゃんと自己責任でやってほしかったなあ」と高笑いする上司に、適子は声も出なかった。

●〈ケース⑫　二〇××年　適子と度一郎Ⅱの場合〉

適子の夫、度一郎が元気いっぱいに会社から戻ってきた。

「うちの会社も、とうとうディーセント・ワークでいく、と言い始めた。適度な働き方ができないことが日本社会の根幹の不幸だって、君がよく言っていたけど、会社もやっとわかったんだね。毎日、定時で帰って、一緒に夕食をつくったり、子どもたちの勉強をみたりしたいな」

長時間労働で柱になる社員たちが次々と過労死し、一方、長時間労働に耐えられない働き手は低賃金の非正規でも我慢して転職していく時期が長く続いた。

政府はそれまで「賃金は自己責任、成果を上げれば増える」と言ってきた。だが、このままでは日本の社会はもたないという人が増え、政権が交代して「八時間労働で生活できる」社会へ向けた政策が始まった。

最低賃金が一五〇〇円に引き上げられ、同じ価値の仕事なら同じ賃金を払う「同一価値労働同一賃金」が義務づけられた。並行して、中小零細企業でもきちんとした賃金を払えるよう、大幅な負担軽減策や利益を出せる産業の育成政策が始まった。

長期の仕事を短期契約で寸断し、人を使い捨てる道具にしてきた非正規雇用も禁止された。その結果、まじめに働けば安定して生活できる働き手が大幅に増えた。

契約社員だった度一郎は、会社にモノを言うと、次の契約を更新してもらえないことが怖くて、首をすくめるようにして働いてきた。だが、非正規雇用が禁止され「仕事が続いている限りは原則としてクビにならない」という制度に変わり、職場環境をよくするためのいろいろな提案を思い切ってできるようになった。その結果、会社の生産性は上がった。人間らしく適度に働ける「ディーセント・ワーク」の効果を実感した会社側も、そうした働き方に本腰を入れるところが増えていったのだった。

時給が最低でも一五〇〇円なので、度一郎は一日八時間、フルタイムで働くだけで月収は二四万円確保できるようになった。

適子は、保育園不足の中、両親に子どもたちを預かってもらっていた。これに気を遣って、一日四時間だけパートとして働いてきたが、政府の公立保育園増加策によって、子どもを預けられるようになったため一日六時間、働くことにした。時給が九〇〇円から一五〇〇円に増えたこともあり、月収は七万六〇〇〇円から一八万円に増え、家計収入は度一郎と合わせて月四二万円になった。

お金を稼いで自力で持ち家を買うというこれまでの住宅政策も、少子化で増えた空き家を利用し、質がよくて安い公共住宅を中心とする方向に転換した。教育費が無償化され、奨学金も「給付型」と呼ばれる返す義務がないタイプのものが大きく増えた。そのために払う税金は増えたが、生活にかかる基本的な費用が大きく減り、家や教育費のために長時間働いて必死でお金を稼ぐ必要は減った。

「お金を稼げることを自慢するより、人間らしい、楽しい生活ができることって幸せだよね」と適子が微笑むと、度一郎は、「だれが稼いでやっているんだ、なんて恩着せがましく妻を脅さなくても、二人で適度に働き、尊重し合って仲良く暮らせる暮らしは楽だよ」とつぶやいた。

おわりに　「人生を選べる」自分になるために

ここまで、いろいろな人生コースの選び方、生き延び方を考えてきました。

人が生き延びるためには、働き方を始めとして、そのつど「選ぶ」ことを迫られます。特に、いまは、社会の基礎的な条件が激変し、「明日は昨日の続き」ではない、という状況が目立っています。だからこそ、若い世代のみなさんには、なんとなく考えてきた「当たり前の人生」の当たり前でないかもしれないことを押さえ、見当はずれでない人生の準備を始めていただきたいと思います。

ただ、「人生選び」などと言うと、いつも、人生なんて選ぶことができるものなのか、という問いをぶつけられます。家庭の状況など、持って生まれた不利な条件に拘束された人間に「選べ」というのは無神経、という批判もあるでしょう。また、事故をはじめ、人生の不運は向こうからやってくるもので、「選ぶ」ことなどできない、というのも、まっとうな疑問です。

◉「人生を選ぶ」なんてできるの？

確かに、人生は向こうから、突然やってくることが少なくありません。とても魅力的な仕事の申し出があったり、「運命の人」と出会ってしまったり、いきなり「お前はクビだ」と言い渡されたり、といった状況がそれです。

ただ、そのときでも、人は、その仕事を受けるか受けないか、「運命の人」に思い切ってアプローチするか、断られるのが不安で踏み出さないか、「クビ」通告に泣き寝入りするか、やり返すか、といったことを判断し、決定しています。

その場合、みなさんはそこで、選ぶことによって、無意識に、それ以外の可能性を捨て、人生を選んでいます。

この仕事をやってみよう、と決意することは、ほかの仕事にあてる時間を捨てることですし、「運命」と思った人と付き合おうと決めたときは、ほかの人と付き合う時間を捨てることで、独自の人生を選んでいるわけです。

そのとき、なぜほかの可能性を捨てるのか。その判断材料となるのが、社会とはいまどうなっているのか、その仕事がはらんでいる可能性や危うさはどんなものか、デートＤＶなんてものもあるそうだけどこの人は大丈夫か、といった社会的な基礎知識です。ですから、この本で指摘したような条件が一応、頭に入っているかいないかで、人生を「選ぶ」際の判断は左右され、「よりよく捨てる」ことができるかどうかが決まってきます。

「人生をよりよく選ぶ」とは、社会に対する適切な知識の量と質で決まってくると言ってもいいでしょう。

自分で「人生を選」べる力をつけよう！

「選ぶ」ための情報収集力

そのような適切な知識を獲得するためには、情報収集の力が不可欠です。みなさんが、この本を開いてくださったのも、その一つと言っていいかもしれません。情報がないままでの人生選びなんて、暗闇で黒い色のお財布を探すようなものです。

ただ日本の人の多くは、あまり情報の価値に関心を払っていないように見えます。たとえば、情報にお金を払おうとする人は、それほど多くありません。安く手に入る情報がすべてダメというわけではありませんが、なぜ、その情報が安いのか、ということをまじめに突きとめようとしないのです。

情報は「だれが出しているのか」がポイントです。フリーペーパーなどの無料雑誌は、発行のための費用を出してくれるスポンサーがいるから対価を払わなくても済んでいるのです。フリーペーパーの記事を読んでいるとき、そのスポンサーはだれなのか、なんのためにスポンサーになっているのか、そのスポンサーが記事内容にどのように影響を及ぼしているか、を考えたことはありますか？　安いのは安いなりの意味がある、という場合が少なくないわけで、必要な情報には対価を払うという姿勢も重要です。

なぜ、情報の価値や位置づけにそれほど意味を置かないのか、というと、日本社会では、「自分の身を守るために、本当は何が起きているのかをつかむ」のではなく、「みんなが何をしているのか」を知って同じ方向に行くための情報収集が多いからです。そこの店が本当においしいかより、みんなが行く店かどうかや、自分もそうした流れに乗り遅れまいとする心の動きが強いわけです。

確かに、大量生産大量消費で、みんなが同じ方向に動いていれば安心という時代がありました。みんながやっている通りにしていれば、何か事が起きても政府は「量」に押されて救済せざるをえません。だから、なんとかなる、というわけです。「赤信号、みんなで渡れば怖くない」ということですね。

いまでもそうした面はあります。ただ、「みんな」の判断に沿って、みんなが進む方に行くと、危険な目にあうケースも増えています。「みんなが行くから、きっといい場所に違いない」と自分もついていったら、だれもがそう思って押しかけており、群衆の重みで橋が落ちてしまった、といった事態がそれに当たります。

特に、昨日とは違う明日が珍しくなくなっているいま、「みんな」が「専業主婦は当たり前」と思って良妻賢母教育に必死になっていたら、もう専業主婦の基盤そのものがなくなっていた、なんていうことが起きるわけです。大事なことは、変化しているものがなんなのかを見極める目でしょう。

つまり、「だれかが言ったから」「みんな言ってるから」と情報をうのみにするのではなく、「だれがそれを言っているのか」「その人は、どこからその情報を得たのか」「その人は、なぜその情報を広めたがっているのか」を、きちんと確認することが大切です。

そうした力を「情報リテラシー」(情報を読み解く力)と言います。

また、意見や願望を「事実」と混同して判断することにも注意が必要です。たとえば、

「○○すべき」は、自分の信念としてはそれが正しいと考える、ということで、願望とは、何かの理由でそれを「したい」と願うことです。これらを事実と混同すると、根拠のない根性主義や思い込みで事に踏み切ってしまい、たいていの場合、失敗します。

それでは、「事実」から判断して、それをやったら損すると決まっているという場合、達成が難しそうだという場合は、やるべきだ、やりたい、と思ってもやめておいた方がいいのでしょうか。

それも違います。

損をしても、それが好き、それをしたい、と思えることこそが、外の評価に押しつぶされず、自分が自分であるために重要なのです。そうした自分なりの方向性を持つことは、人が生きるうえで、とても大切です。というより、そうした方向性を見定めるために、私たちは生き、学んでいると言ってもいいくらいです。

自分はこうすべきと思う、だが、事実は、その達成が難しいことを示している、それでも実行するか、しないか。それが「選ぶ」ということです。事実を直視したうえで、自分の価値観に沿って選択したら、次は、成功できる方向へ向けて必要なものを手当てしていけばいいのです。そうすれば、最初の「事実」は変えることができ、こうして、「自分の人生」がつくられていきます。

さらに、「もし失敗したら、このようにリカバーする」という対策も、併せて立てておくといいでしょう。

実行のための資源を確保する

つまり、選んだら、その実現のために必要なことを全力で調達することが、みなさんの最初の条件を変えることにつながります。選ぶこと、とは、それ以外のものを捨てることであると同時に、みなさんが置かれた最初の環境を、選んだ目標へ向け、変えていくことでもある、と言えるでしょう。

そのためにはまず、カネとヒト、という資源を集めることでしょう。物事を達成するには資金と、事に携わる労働力が必要です。できそうもない、損しそう、というのはたいてい、この二つか、またはどちらか一方が欠けている場合が多いのです。

なんだか大げさになってきましたが、そうでもありません。たとえば仕事探しでも、いろいろ情報を集めて、世の中にある仕事の種類や、どんな会社があるのか、その長所と短所は何か、がわかってきたとします。でも、その仕事につくには資格も経験も足りないとします。

そのときは、どんな力をつければその仕事に近づけるのか、ということを経験者に勇気を出して聞けばいいのです。その仕事について本を書いている人や実際にしている人に、手紙で質問内容を伝えるとか、場合によっては面談をお願いするとか、です。これは、助言してくれる「ヒト」の調達です。

その仕事を得るのに必要な資格を取るために、お金が必要だとします。その場合は、たとえばアルバイトをして貯める、とか、親に支援を申し込む、といった手段で「カネ」を調達します。こうして、最初の「相談に乗ってくれる人もいないし、資格もない」、または「カネもない」という事実は変えることができました。どうです?

私が子どものときに元気づけられたのは、ギリシャ古典に出てくるトロイアという古代都市の遺跡を発見したハインリヒ・シュリーマンという人の子ども向けの伝記を読んだときでした。

その本では、彼は子ども時代、貧しい暮らしの中で、そのトロイアについての本を読んで感動し、この伝説の都市を探したいと志したとありました。お金がない家庭に育って学校も中退した彼ですが、中年までかかって実業家として資産を築いたうえで遺跡の発掘に取りかかり、考古学者となって夢を達成したというのでした。

こうした見方については、夢をかなえるために実業家になったのではなく、実業家を辞めてから遺跡発掘を思い立ったのではないかなど、何かと疑問も出されているようです。ちょっと話を盛ってるんじゃない？　というわけです。ただ、三歳で父が病死し、家庭の経済力に強い不安を抱いていた当時の私には、一つの「人生選び」の道を示してくれたエピソードだったのは事実です。不利な条件からの出発も、回り道も、必要な条件を整えるための方法と位置づければ、時間はかかるかもしれないが、やりたいことの基礎を自力でつくっていけるかもしれない、と考えることができたからです。

この本のいくつかのコースで「二つのシナリオ」を挙げてみせたのは、このように、一見、動かせないように見える「事実」自体、人がどうふるまうかで大きく変わり、それによって選択の結果も変わってくる、ということをわかっていただきたかったからです。

もう一つ、選択を良いものにするために必要なのは、自分の持っている力を見直して最大限生かすことです。「自分なんか短所だらけでいいところなんか全然ない」と嫌な気持ちになる人は多いかもしれません。私もそうでした。

大人たちの中には、短所をいろいろ指摘し、それを直させることで子どもをよりよく育てようとする善意の人たちがいます。でも、短所と言われているものは個人の個性です。それが、ある条件の下では不利なものになるので「短所」と言われてしまうのです。「短所」の指摘は、「あなたの個性のこの部分をこう使えばもっとプラスに生かせるのに」という形で言ってくれれば短所をずっと役に立つものにしていけるのですが、「短所をなくせ」と言われてしまうと、自分の一部を切り落とせというような意味になってしまい、人は萎縮《いしゅく》してしまうのです。

短所を切り落とすのでなく、「長所」として伸ばすことが大切なのです。すると、自信と余裕ができ、「短所」はむしろ、その人の「面白み」や「愛敬」になります。フランスの思想家、ラ・ロシュフコーが「世間の付き合いでは、われわれは長所よりも、短所によって気に入られることが、多い」(『ラ・ロシュフコー箴言集』二宮フサ訳、岩波文庫)と言っているのもそのことでしょう。人はだれでも自分の「短所」と思われる部分に悩んでいるので、すぐれた人に小さな欠点を見つけるとほっとします。「あの人も人間だったんだよね」と共感できますし、「欠点のある者同士」のいたわりと連帯感が生まれます。

そもそも、「長所なんかない」って、本気ですか？　人がなんと言おうと、自分では「ここはイケる」と思っているところが絶対にあるはずです。それらをリストアップして伸ばし続けていきましょう。

引き返す力を養う

選ぶ、というと、前に進むイメージばかりがクローズアップされがちですが、実はこれにともなう大切な力があります。それは、引き返す力です。

たとえば、何かを選んだ後にいろいろなことがわかってきて、間違った、と思うことがあるでしょう。そのときは、すぐに引き返すことです。そうすれば、後悔は半分ですみます。これは、言ってはいけないことをつい口にしてしまって相手を傷つけた、自分が悪かったかもしれない、と思ったら逃げないですぐに謝るというのと似ています。

人間には判断の間違いはつきものです。その時点では、それでいいと思っていろいろなことに踏み切るわけです。でも、いざ踏み込んでみたら、かなり状況が違っていたということもありえますよね。そのときは、無理をしないで引き返す勇気が役に立つのです。これは、実は進む以上にエネルギーがいることですが、だからこそ、心に留めておく必要があるのです。

うーん、間違っていたかもしれない。でも進むべきかもしれない、と人は迷うものです。そのときは、基本に返って考えてみましょう。自分は何がしたかったからこの選択をしたのか、から考え直してみるのです。

宇宙旅行にかかわることが夢だったあなたが、宇宙ロケット関連の部品を手掛ける中小企業と、大手の総合商社の両方の就職試験に受かったとします。周囲はだれもが「安定した大手に」と薦め、あなたはその声に押されて商社で働き始めます。大きい組織では、コマのように動かされ、関心のあることとは無縁の仕事を続けなければならないあなたは、宇宙関連の会社に応募し直そうと考え始めます。「間違えたと思ったら引き返す」のセオリーの実践ではありますが、ただ「いまの安定を失い、親などを失望させるのでは」と迷います。

そのときの原点はなんでしょうか。ドラマなら、「原点は宇宙、最初の中小企業へ」で結論は出たようなものですが、あなたにとっては、実は「生活の安定」も原点だったのではありませんか。となれば、こんな「原点への返り方」もあります。

すなわち、商社の中で宇宙関連部門があるかどうか探し、その部署の先輩社員に声をかけて仕事の実態や、自分がその部署へ移動できるかどうかを調査し、その可能性を追求してみる、という方法です。もちろん、そこで見込みがなく、宇宙への思いが断てないというときは出発点に戻って、関連の会社を受け直す選択もありえます。

情報収集力は、原点への返り方を考えるうえで、とても必要なのです。

スルーして違う観点で探す道もある

これまでは、進むか、戻るかという二つの選択力について述べてきました。ただ、もう一つやり方があります。選べ、と言われたとき、選択肢がいずれもダメと思うことはありませんか。最近はそういうことが多いのです。

たとえば、低賃金で不安定な非正規と、拘束度が高くて死ぬほど長時間働かなくてはならない正社員という二つの選択肢を突き付けられて、あなたはどうしますか？

きれいではないたとえですが、これは「うんこ味のカレーか、カレー味のうんこか」という二者択一です。

そのときの正解は、「両方ともノー。カレー味のカレーを食べさせろ」です。どちらも食べたら体を壊しますから、健康へ向けた滋養という「食べ物」の条件を満たしていないのです。そういう場合は、選択をスルーして、異なる観点から、よりよい選択肢を探してみる手もあります。

たとえば、私の友人の女性は一〇年以上派遣社員として同じ会社で働き続けたのですが、次の契約更新をいきなり断られて仕事を失いました。代わりとして示された選択は、低賃金でやりがいを感じられない複数の契約社員の口でした。努力や経験を重ねても、職場のよそ者として扱われる非正規の働き方に失望していた彼女は、そのどれも断り、仕事のかたわら続けてきた社会運動の仲間たちに相談して、非正規ではあっても自身の問題関心に近い、青少年支援の公務の仕事を見つけました。生活の安定にはまだ遠いですが、「使い捨てられる感覚」からは脱出できたと喜んでいます。

既成の選択肢から選ぶことだけが、選択の道ではありません。かつて、「おしてもダメならひいてみな」という流行歌がありましたが、手を変え、品を変え、角度を変えて、楽しい人生選びに挑戦してみてください。そのために、この本をめいっぱい活用してくださることを願っています。

最後になりましたが、私は二〇年ほど前、大人の読者に向けて『女の人生選び』(はまの出版、一九九九年)という本を書きました。そこでもこの本と同じように、選び方によって近未来がどう変わるかという構成を取りました。そのとき何人もの読者から「大人になる前に読んでおきたかった」「娘や息子たちにもわかるような形にしてほしかった」と言われました。そんな方々の思いを、この本でようやく実現させることができました。みなさんに、そうした上の世代の思いもくみ取っていただけたら、さらにうれしいです。

竹信三恵子

1953年生まれ．76年朝日新聞社入社．経済部記者，シンガポール特派員，学芸部次長，編集委員兼論説委員などを経て，2011年退社．現在，ジャーナリスト，和光大学名誉教授．著書に『日本株式会社の女たち』(朝日新聞社，94年)，『企業ファースト化する日本』(同，19年)，『家事労働ハラスメント』(岩波新書，13年)，『正社員消滅』(朝日新書，17年)，『これを知らずに働けますか？』(ちくまプリマー新書，17年)，『女性不況サバイバル』(岩波新書，2023年)等著書・共著多数．

10代から考える生き方選び　　岩波ジュニア新書920

2020年6月19日　第1刷発行
2024年4月15日　第2刷発行

著　者　竹信三恵子《たけのぶみえこ》

発行者　坂本政謙

発行所　株式会社 岩波書店
〒101-8002 東京都千代田区一ツ橋2-5-5

案内 03-5210-4000　営業部 03-5210-4111
ジュニア新書編集部 03-5210-4065
https://www.iwanami.co.jp/

印刷・三陽社　カバー・精興社　製本・中永製本

ISBN 978-4-00-500920-6　　Printed in Japan

岩波ジュニア新書の発足に際して

きみたち若い世代は人生の出発点に立っています。きみたちの未来は大きな可能性に満ち、陽春の日のようにひかり輝いています。勉学に体力づくりに、明るくはつらつとした日々を送っていることでしょう。

しかしながら、現代の社会は、また、さまざまな矛盾をはらんでいます。営々として築かれた人類の歴史のなかで、幾千億の先達《せんだつ》たちの英知と努力によって、未知が究明され、人類の進歩がもたらされ、大きく文化として蓄積されてきました。にもかかわらず現代は、核戦争による人類絶滅の危機、貧富の差をはじめとするさまざまな人間的不平等、社会と科学の発展が一方においてもたらした環境の破壊、エネルギーや食糧問題の不安等々、来るべき二十一世紀を前にして、解決を迫られているたくさんの大きな課題がひしめいています。現実の世界はきわめて厳しく、人類の平和と発展のためには、きみたちの新しい英知と真摯《しんし》な努力が切実に必要とされています。

きみたちの前途には、こうした人類の明日の運命が託されています。ですから、たとえば現在の学校で生じているささいな「学力」の差、あるいは家庭環境などによる条件の違いにとらわれて、自分の将来を見限ったりはしないでほしいと思います。個々人の能力とか才能は、いつどこで開花するか計り知れないものがありますし、努力と鍛練の積み重ねの上にこそ切り開かれるものですから、簡単に可能性を放棄したり、容易に「現実」と妥協したりすることのないようにと願っています。

わたしたちは、これから人生を歩むきみたちが、生きることのほんとうの意味を問い、大きく明日をひらくことを心から期待して、ここに新たに岩波ジュニア新書を創刊します。現実に立ち向かうために必要とする知性、豊かな感性と想像力を、きみたちが自らのなかに育てるのに役立ててもらえるよう、すぐれた執筆者による適切な話題を、豊富な写真や挿絵とともに書き下ろしで提供します。若い世代の良き話し相手として、このシリーズを注目してください。わたしたちもまた、きみたちの明日に刮目《かつもく》しています。（一九七九年六月）

955 世界の神話 躍動する女神たち　沖田瑞穂
強い、怖い、ただでは起きない、変わってる!? 世界の神話や昔話から、おしとやかなイメージをくつがえす女神たちを紹介！

956 16テーマで知る 鎌倉武士の生活　西田友広
鎌倉武士はどのような人々だったのでしょうか？ 食生活や服装、住居、武芸、恋愛など様々な視点からその姿を描きます。

957 〝正しい〟を疑え！　真山 仁
不安と不信が蔓延する社会において、自分を信じて自分らしく生きるためには何が必要なのか？ 人気作家による特別書下ろし。

958 津田梅子―女子教育を拓く　髙橋裕子
日本の女子教育の道を拓き、シスターフッドを体現した津田梅子の足跡を、最新の研究成果・豊富な資料をもとに解説する。

959 学び合い、発信する技術―アカデミックスキルの基礎　林 直亨
アカデミックスキルはすべての知的活動の基盤。対話、プレゼン、ライティング、リーディングの基礎をやさしく解説します。

960 読解力をきたえる英語名文30　行方昭夫
英語力の基本は「読む力」。先生と生徒の対話形式で、新聞コラムや小説など、とっておきの例文30題の読解と和訳に挑戦！

961 森鷗外、自分を探す　出口智之

文豪で偉い軍医の天才？ 激動の時代の感覚に立って作品や資料を読み解けば、自分探しに悩む鷗外の姿が見えてくる。

962 巨大おけを絶やすな！ ―日本の食文化を未来へつなぐ　竹内早希子

しょうゆ、みそ、酒を仕込む、巨大な木おけ。途絶えかけた大おけづくりをつなぎ、その輪を全国に広げた奇跡の奮闘記！

963 10代が考えるウクライナ戦争　岩波ジュニア新書編集部編

この戦争を若い世代はどう受け止めているのでしょうか。高校生達の率直な声を聞き、平和について共に考える一冊です。

964 ネット情報におぼれない学び方　梅澤貴典

新しい時代の学びに即した情報の探し方や使い方、更にはアウトプットの方法を図書館司書の立場からアドバイスします。

965 10代の悩みに効くマンガ、あります！　トミヤマユキコ

悩み多き10代を多種多様なマンガを通してお助けします。萎縮したこころとからだがふわっと軽くなること間違いなしの一冊。

966 新種発見物語 ―足元から深海まで11人の研究者が行く！　島野智之・脇司編著

虫、魚、貝、鳥、植物、菌など未知の生物の探究にワクワクしながら、分類学の基礎も楽しく身につく、濃厚な入門書。

967 核のごみをどうするか ―もう一つの原発問題　今田高俊／寿楽浩太／中澤高師

原子力発電によって生じる「高レベル放射性廃棄物」をどのように処分すればよいのか。問題解決への道を探る。

968 扉をひらく哲学 ―人生の鍵は古典のなかにある　中島隆博・梶原三恵子／納富信留・吉水千鶴子 編著

親との関係、勉強する意味、本当の自分とは？……人生の疑問に、古今東西の書物をひもといて、11人の古典研究者が答えます。

969 在来植物の多様性がカギになる ―日本らしい自然を守りたい　根本正之

日本らしい自然を守るにはどうしたらいい？　在来植物を保全する方法は？　自身の保全活動をふまえ、今後を展望する。

970 知りたい気持ちに火をつけろ！ ―探究学習は学校図書館におまかせ　木下通子

レポートの資料を探す、データベースで情報検索する……、授業と連携する学校図書館の活用法を紹介します。

971 世界が広がる英文読解　田中健一

英文法は、新しい世界への入り口です。楽しく読む基礎とコツ、教えます。英語力不問、この1冊からはじめよう！

972 都市のくらしと野生動物の未来　高槻成紀

野生動物の本当の姿や生き物同士のつながりを知る機会が減った今。正しく知ることの大切さを、ベテラン生態学者が語ります。

973 ボクの故郷は戦場になった
―樺太の戦争、そしてウクライナへ
重延 浩

1945年8月、ソ連軍が侵攻を開始し、のどかで美しい島は戦場と化した。少年が見た戦争とはどのようなものだったのか。

974 源氏物語入門
高木和子

日本の古典の代表か、色好みの男の恋愛遍歴か。『源氏物語』って、一体何が面白いの？ 千年生きる物語の魅力へようこそ。

975 「よく見る人」と「よく聴く人」
―共生のためのコミュニケーション手法
広瀬浩二郎
相良啓子

目が見えない研究者と耳が聞こえない研究者が、互いの違いを越えてわかり合うためコミュニケーションの可能性を考える。

976 平安のステキな！女性作家たち
川村裕子
早川圭子 絵

紫式部、清少納言、和泉式部、道綱母、孝標女。作品の執筆背景や作家同士の関係も解説。ハートを感じる！王朝文学入門書。

977 国連で働く
―世界を支える仕事
植木安弘 編著

平和構築や開発支援の活動に長く携わってきた10名が、自らの経験をたどりながら国連の仕事について語ります。

978 農はいのちをつなぐ
宇根 豊

生きものの「いのち」と私たちの「いのち」はつながっている。それを支える「農」とは何かを、いのちが集う田んぼで考える。